こちら葛飾区亀有公園前派出所⑳

秋

こちら葛飾区亀有公園前派出所⑳

目次

うらしまポリス!?の巻
緊急手配犯人
この顔に ピンときたら 警視庁 110番
これで モスクワ オリンピックは すべて 終了しました それでは また 4年後に おあい しましょう

いろいろあったけどオリンピックもとうとうおわりましたね先輩
パチ
今年は放送が少なかったな……
今度も4年後だそのころには世界情勢もどうなっているやら…
まったくですね
今や3年ひと昔といわれる時代だ世の中一寸先はやみだからな
モントリオールオリンピックの時は……
そうだ思いだした!
なんですかいきなり
部長今年が4年目ですよ!
この顔に ピンときた
110番
なにが?
ほら日暮《ひぐらし》のやつですよあいつが出勤する年です
日暮………
そうか…あいつも派出所の一員だったな………

だれですその人? 派出所の警官なんですか?
中川《なかがわ》たちがしらんのも無理がない! あいつが出勤したのは4年前の春だからな おまえはそのあとに…
おそらく今の読者もしらんだろうな 連載になったのが51年の秋だしな それより5か月も前の話だ
日暮というやつはとにかく物ぐさな男でな! 当時から休んでばかりいてひと月に 3日位しか出勤してこない それがだんだんエスカレートして今や 4年に一度しかこなくなってしまった 別名《べつめい》オリンピック男とよばれている
よくクビにならないですね
そう思うだろ!
ところがあいつは人の数百倍もカンがいいんだ くるたびに難事件をかたづけてしまう不思議な力がある
200時間位は平気で ねむる男だ 体を動かさないからそんな能力が身についたのかもしれん
すごい人だ……
両津《りょうつ》 おまえ日暮をつれてこい
えーっなんで私が!?

あいつもわが派出所のメンバーだろうおまえが一番気があうからな……
あいつねおきが悪いんだよ部屋もきたないし
ひょっとしたら死んでるかもしれませんよ部長!
つべこべいわずさっさといってこい
両津よりまだひどいのがいるからあいつもクビにならんですむ!いわば同類項だ
上には上がいますね
えーとたしかあいつの部屋は4階だったな
秋の交通安全
ここだったかな…
先輩そこは物おきですよ
バカ人がちゃんとすんでいるんだ!

ドアに カビが はえて あけづらいな くそ！
ギギギ…
うわっ クモの巣が うわっぷ
まっ暗 じゃないか
おーい 日暮 いるかあ
ん？ なにか ふんづけた かな……
ギュッ
いてっ
ガシャ
あいたた なんだ たおれたぞ！
電気は どこだっ おい！
バリッ
いてて なんだ こりゃっ
おーい 日暮 どこに いるんだ
ガチャ
ドタ
雨戸を あけるぞ！
まっ暗で なにも みえん！
ピカ
ぎゃあーっ まぶしい！

ひゃあ
バサ
バサ
こうもりがとびでてきたぞ!日暮!
いったいどういう生活しているんだ
パ
ぐあああ一っ
ひええまぶしい
おい日暮オレだ!両津だおぼえているか!
サ…サングラスとってくれ!
手間のかかるやつだほら!
す…すまん
ふう電気のあかりは太陽よりショックが強い!
オーバーだぞ!うす暗いじゃないか

そ…その声は
たしか
両津……
両津だな
きみは!
そうだよ
むかえに
きたんだぞ
なぜだ?
まだ昭和51年の
春だろ?
もう 夏にでも
なったのか?
とっくに
すぎたよ
今年は
55年だ!
ばかな!
じゃあ
ロッキード
事件は
どうなったん
だ!
今は
うわさも
ないよ
あの
アグネス・
ラムブームは
どうした
若者の
アイドル
今では
なつかしの
アイドルだ
信じられん
アントニオ猪木《いのき》と
モハメッド・アリ戦も
まだ みてないのに
また 4年間も
ねてしまったのか
不覚だった!
まるで
浦島《うらしま》 太郎《たろう》だ
わすれず
むかえに
きてくれて
うれしいよ
両津
オリン
ピックで
思いだしてな
……
ちょっとまて
今
コーヒーを
いれる
ゴロ
ゴロ

ひさしぶりだからな…ゆっくりしていってくれ
たしかカンヅメもあったはずだ……
ゴロ
ゴロ
あったカンヅメはなん年間もくさらないからすきだ
ほら両津のすきなさばのみそ煮だ
ゴロン
ゴロン
カンヅメはうまいぞ
テレビでもみるかねながらみるといい
パチ
おまえおきたほうがいいぞおき方わすれたのか？
そんなわけじゃないんだが……めんどうくさいこのほうが楽だ
そうだタバコがあった4年前のでしけてるかもしれんがすうか？
おおい日暮

人間が引力にさからうことは体に悪い! たつよりすわる! すわるよりねる!
地面との接地面積が広いほど体に負担がかからないんだ長生きする!
ちょっとまってくれトイレにいってくる
ゴロ ゴロ
部長があいたいっていってるぞ 派出所にも新人たちがいっぱいはいったしな
そうかオレがねてる間世の中だいぶかわったろうな
それじゃ派出所へいこうか
ちょっとその前に……
キャベツに水をやらないと
ズズ…
部屋の中で菜園をやってるのかよ!
ここんとこだけ光がさすんだ おなかすいた時にたべるんだよ
しっかりおきろよ よいしょっと
ついでにフロにもはいってくよ

フロなんてどこにもないじゃないか
用フロ
そこの洗たく機の中だよ そこが フロ
自家用フロ
だいじょうぶなのかよ!
いつもそうさ! あらう手間がはぶけるしね
さっき のんだコーヒーカップやお皿もいっしょにいれてよ同時にあらうから
そのためわれんようプラスティックで できているのか
反転が一番いいんだすごく気持ちいいよ
ゴオオ!
ものぐさの極致だな
今度は脱水ねすすぎはいらないよ
わかったわかった
だっ…脱水はめっ…目がまわるからあっ…あまり長時間できないんだよ
キュイイイ…
みてるほうが目がまわるよ
おい制服ってこのつながったやつしかないぞ
そうだよめんどうだからそうした

まるできせかえ人形だな
悪いな両津……
ひとりであるけよだいじょうぶか!?
ああなんとかな
ああ体がだるい寝不足かもしれん
寝すぎだよ寝すぎ!
フラ
フラ
ズダダッ
ドドガシャ
グキッ
大丈夫かよおい!
こんなところにいつ階段つくったんだ!
昔からあるよわすれちまったのか?
そそういえば4年前にも落ちたような気が…

自転車でいくのかよかったるいなあ
これしかないんだよ!
車でいこうよオレのがあるよ
おまえ運転できるのかよ
12年前に買ったやつだけどな!めんどうくさくてまだ2回しかのってない
スバルの新品みたの初めてだ
だいじょうぶなのか?タクシーのほうがいいんじゃないのか
ひろうのがめんどうくさい
運転するほうがよっぽどめんどうだと思うがな
バタッ
どうした早く動かせよ
運転の仕方わすれちまった!でもなんとか動かせるかもしれない
やめた!わしゃあるいていく!

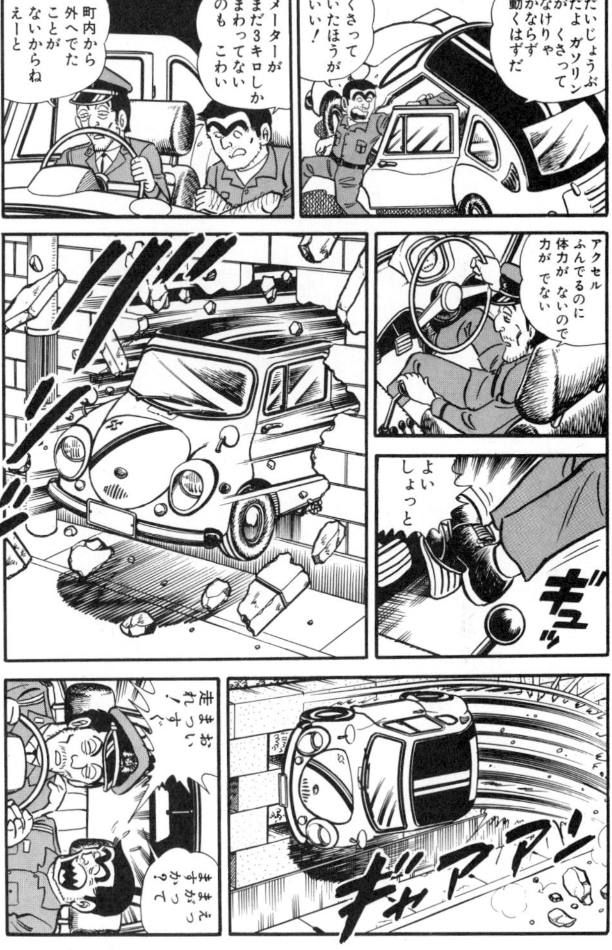
だいじょうぶだよ ガソリンが くさってなけりゃ かならず動くはずだ
くさっていたほうがいい!
メーターがまだ3キロしかまわってないのも こわい
町内から外へでたことがないからね えーと
アクセルふんでるのに体力がないので力がでない
よいしょっと
ギュッ
ギャアアン
えっ まがってますか?
おい まっすぐ走れ!

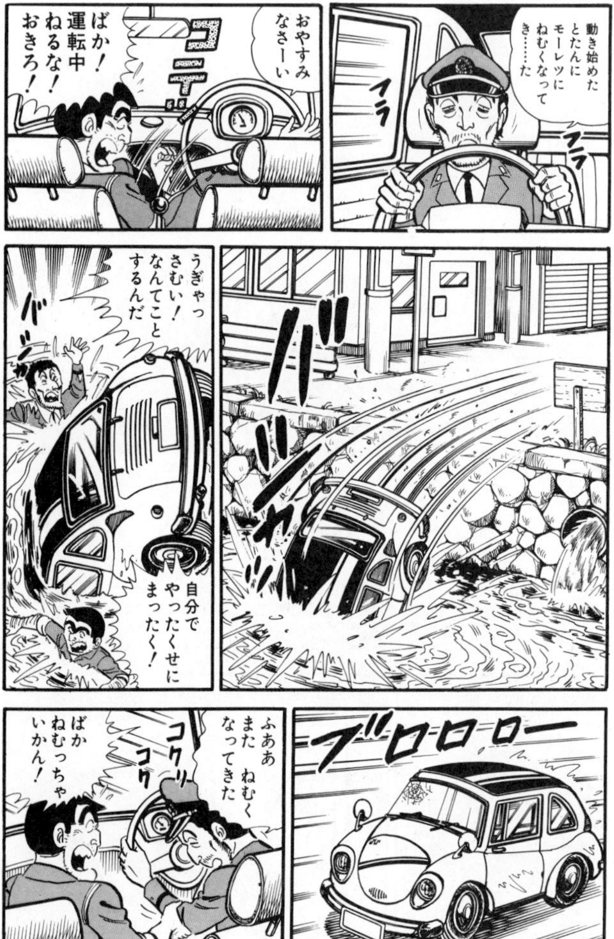
動き始めたとたんにモーレツにねむくなってき……た
フラ
フラ
おやすみなさーい
コテ
ばか！運転中ねるな！おきろ！
ババ
ババ
ザ
うぎゃっさむい！なんてことするんだ
ド
自分でやったくせにまったく！
ブロロロロー
ふああ　また　ねむくなってきた
コクリ
コク
ばかねむっちゃいかん！

目ざめの体操しよういっちに!いっちに!
運転中するな!
もうだいじょうぶです!バッチリ
ふう目がはなせんよ!!
あ…体がいうことをきかん……
あっこらっ!!
ドタッ
うわっ
ギギイイ
ぎゃあーっ
ドガッシャ
あるいていったほうが安心だ

てなわけで
つれては
きましたけど
………
あい
かわらず
ぐうたらだ
4年前と
かわらん
ほら
おきろ
日暮!
は　はい
はい!
おきて
ますよ
部長に
あいさつ
くらい
しろ!
パンパン☆
わかり
ました
おひさし
ぶりです
まだ巡査部長
ですか
ペコッ
大きな
お世話だ
クルッ
次は
新人の
中川だ!
どうも
日暮です 私
キャンディーズ
のファンです
今度
コンサート
みにいき
ましょう
そうです
ね…
〝およげ
タイヤキくん〟の
レコード
買いましたか?
今度
〝タコやきくん〟も
でるそうで…
もういい
おまえの
話題は
古すぎる

次は麗子《れいこ》だ！
あっ
シャキッ
どうも日暮です 人は「その日暮」と よびます よろしく
キッ
こちらこそ！
日暮が完全に目ざめた！
昔の顔にもどったな
むっ
むっ 感じる この気配はなんだ！
だれかがオレをよんでいる！

両津
カメラだ
早く
しろ!
はっ
日暮
やってくれ
うむ
うーむ
みえるぞ
みえる!
白いカベに
グレーの服を
きて
たっている
男が
みえる
次は
女の人が
みえてきた
どうしたの
いったい?
念写だ
あいつの
十八番!
でやあ
ーーっ
1枚
2枚
3枚……
8枚!
さあ
どっちも
どっちも
はった
はった
バッ
バッ
バッ
すごい
連続
8枚どり!
年ねん
わざが
ひかって
きたな

1枚目は駅前の銀行だまちがいない
時間もちゃんとうつってます
あと15分後だまだ間にあう
次は女性の自殺ですよ亀青団地《かめあおだんち》だ夕方ですよ
すごいみんな本当におこるの?
100%《パーセント》な24時間以内の未来がうつるんだ
学校の放火か! 先に現地へいってまってよう!
おい事前につかまえるな火をつけてから現行犯でつかまえろ
おどろいたわ現場がちゃんとうつってるなんて
日暮のクビにならん理由がわかったろ
あっ
DIESEL
よし最後の一枚!

わしが トラックに ひき殺される ところだ！
なんですって！
本当か！ 両津
持出禁止
うーむ これは たしかに 両津だ
不気味な 写真ね
おい 日暮 きさま なんのうらみが あって こんな 写真を！
しらん かってに うつったんだよ
即死とは かぎらんぞ 重体で たすかるかも しれん
いやだ！ どっちみち ひかれるに かわらない
両津！ 気にするなよ まちがいは ある オレの能力は 完ぺきで 自信は あるが 数億分の一 くらいは…
はげまして いるのか 自慢している のか どっちだ
写真で みるかぎり 外だから 24時間 外へ でなけりゃ 安心ですよ
御用
持出禁止
わしは 絶対 信じ ないぞ！
あっ 先輩！
ダッ

★週刊少年ジャンプ1980年39号

の巻
RIKA
MOTO-GUZZI
MOTO

本口リカ登場

おい とまれ こっのやろう!!
ヴォオッ
ギャアアアア
みろ また スピード だしすぎだ
キィ
ちっ とぼけちまえ!
免許証!
え? ぼく… なにか しました かァ?
マフラーで 頭に ヤキいれりゃ 少しゃ 思いだす だろう!
ぎゃお
ジリジリ
や…やめて くれ! わかった よ!

免許証
まっ黒じゃ
ねえか！
自転車に
かえたほうが
いいぞ
おまえ！
よけいな
おせわだ
くそ！
ヴオオォン
ヴオオオ
しぶいね…
オレと
はりあう
気か！
バタッ
おまえ そこで
まってろ！
にげたら
タダじゃ
すまねえぞ

ツイン
カムが
なくぜ!
その走りじゃ
ん!?
お先に
失礼!
なにっ

GO《ゴー》!
ピクッ
うわっ 犬が!

ガシャ
ギギギギイッ
ひいっ
バタッ
ぎゃっ
ガブッ
ひゃあ こ…この犬 とめてくれーっ
もう そのくらいで いいわ
ドドゥ

てめえ！人の仕事じゃましやがってだれだ！
よいしょ
ごめんなさいね 特別交通機動隊隊員・本口《モトグチ》リカです！
よろしくね！
女かおまえ!?
あなたが本田《ほんだ》さんでしょ うわさは よくきいてるわ
ワン
ごくろうさん 元五郎《げんごろう》ちゃん ごほうびにハンバーガーあげるわよ
RIKA

女でサイドカーにのってる白バイ隊員がいるだと…
シャリシャリシャリ
すげえ女よ！男まさりの度胸なの
そりゃないよな17歳のオトメにむかってさ
きゃっでた！
おまえが白バイ隊員？そんな小さい体で？
わかっちゃいないねえ！オートバイは体力じゃなくてテクニックよ！
女性のロードレーサーもいるのよおくれてるね

まあ 両ちゃんの頭なら そのくらいかも しれないわね
戦中派の人だもんね
ドッ
おまえ気やすいぞ 初体面のくせに!
おくれてるわね 署内でしらない人は いないわよ 始末書の両ちゃんって!
まあ! こちらが中川さんねっ うわさ通り かっこいいわ! わたしごのみ
あなたも バイクに のってるんでしょ BMW《ベーエムベー》R《アール》100RT《アールティー》 わたしは モトグッチよ
今度 北海道《はっかいどう》まで いっしょに ツーリング いきましょう 愛犬の 元五郎ちゃんも つれて!
モトグッチ 最高よね 名前が いいわ
わたし バッグも もちろん グッチよ
制服も グッチの特注 スカーフは セリーヌ
ま…また 今度ね
バイクは 日本《にほん》製が 一番だよ
むっ
なによ 日本のはホント 安すぎるわ! 外車のほうが 色もきれいで 高くて 最高!
バイクは 色で のるんじゃない いいから買おう 国産品!

あなた自分の名前が本田だからホンダばかりひいきするのよ！イタリア車のほうが いいわよイタリアはすてきだし『ローマの休日』も よかったわイタリア車のほうが いいのっ
バイクと全然関係ないじゃないよ
よせ本田！若い女と口争いでかてるはずない！相手が悪い
ベー
元五郎ちゃんここは あなたの犬小屋に にてるから おちつくでしょ！ハンバーガーまた たべる？
ちぇっ
ああいうのをみつめ女っていうんだしってるか？
いや…
たれ目お茶目ふと目…なピッタシだろ
そりゃいい！
ふん！
ぎゃあ
こら元五郎ちゃんよしなさい
オーノーッギブアップ！

くそ！こっちにだって警察犬がいるんだぞ
みろ！この勇姿！
トラもにげだす!!
こらたたかえ！ほらぶちのめせ
闘争本能をわすれたのか？おいこらっ
シュッ
シュッ
かわいいワンちゃんねしましょう仲よく
フニャッ
色気にだまされてそれでも仲間か！
大変だーっお巡りさんきてくれ!!
裏の空地で暴走族がケンカしてますよ！
なにっケンカだと

バイバイ
仕事が
先よ!
本田!
あいつに
負けるな
国産の意地を
みせろ!!
おっし
!
やってる
やってる
にぎやかね
ウン
やばい!
お巡り
か!!
女だぞ?
婦警だな

やめなさいよあんたたち
うるせえひっこんでろいっ!
女性だと思ってあまくみないほうがいいわよ
うわっ
さあみんなおとなしく帰らないとひいちゃうわよ!
うわっ
ひゃあ
このやろう
きゃあ

あいたたた
ワンワン
バイクからおりりゃただの女だ!
ジャリ…
ふふこいつはおもしろい
日ごろの警察へのうらみをいっきにはらそうぜ
ケンカよりこっちのがいいぜ
ちょっとまった——っ
まずはその犬からだ!
ぐえっ

犬を相手にケンカするようじゃ世も末だぜ!!
やばい交機の本田だ!
うわっ
にがしゃしねえぜ!!

うわっ
おまえたちが頭かおい！
ひいっ
そんな体力があまってるなら労働でもして社会の役にたて!!
すっごいかわればかわるものね
ぎゃん
うーん
かっこいい！
でやーっ
やっちゃえ本田さんがんばって！

きのうのあの女の子にはまいったな
まさに現代っ子といった感じでしたね
ダンナたすけてくれよ
ヴォォッ
ガタッ
どうかしたのか？本田……
これじゃ仕事にならないよどうにかしてくれ！
ワン
いっしょに仕事しましょうつかれたら運転かわるわ
ミーハー的なところまで現代的だよ

YAMAHA

GS《ジーエス》1000S《エス》かしぶいね
SUZUKI
ピッカピカにひかってるな やはり 日本製は仕あげがきれいだ
そうでしょ日本のバイクは世界有数だもんね
日本人には日本の単車がにあう! ハーレーに日本人はあわん!
そのとおり陸王《りくおう》にのったほうがいい!
HONDA
YAMAHA
ハコモータース
あんたたち国際的じゃないのねえおくれてるわよ
なんだと!

外車は　最高よ
異国の
スピリットが
感じられるわ
身につけてる
物も　すべて
外国品よ
RIKA
RIKA
MOTO-GUZZI

この前の本ロリカだ！
なんでえ外国カブレめただの目だちたがり屋じゃないか！
なによ！いい物はいいじゃないの！それはひがみ根性よ！

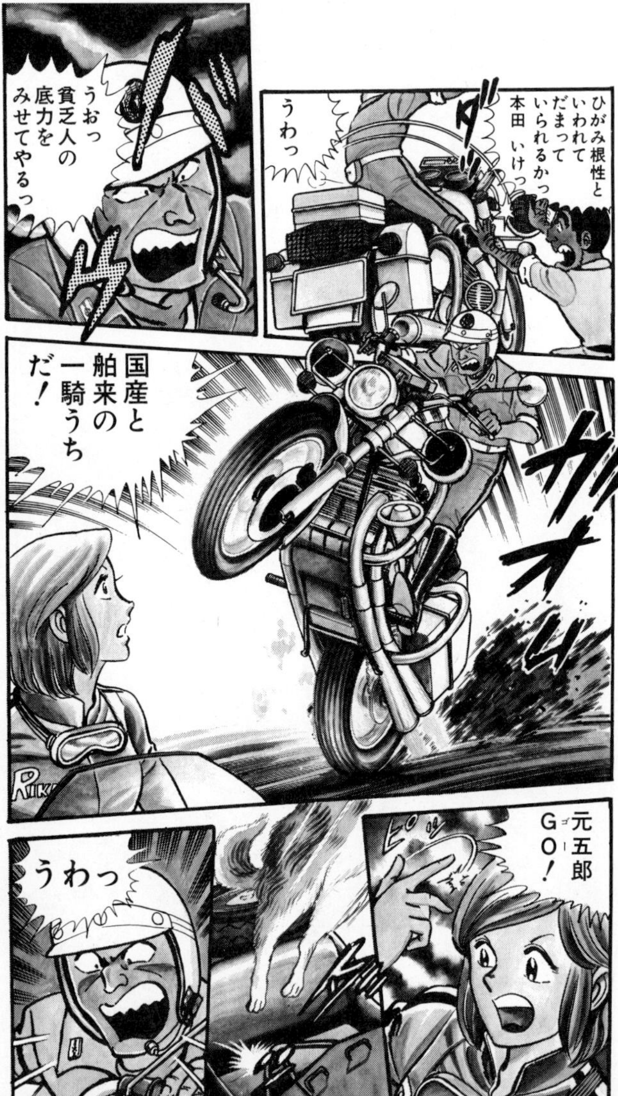
ひがみ根性と
いわれて
だまって
いられるかっ
本田 いけっ
うわっ
うおっ
貧乏人の
底力を
みせてやるっ
国産と
舶来の
一騎うち
だ！
元五郎
GO《ゴー》！
うわっ

ぎゃあ
あい たたた!
こらっ はなせ! シッシッ
ガウウ!
元五郎 もう いいわよ!
すっぽん みたいな 犬だ! ちくしょう
わたしの ボディー ガードよ

本田！かまってるとよけい暑くなるさっさと山奥村《やまおくむら》へいこう
そうしたほうがよさそうですね
ちょっとあんたたちどこへいくんだって……!?
暑い東京《とうきょう》はおさらばよ
イエイレッツGO《ゴー》！
まあなによあの態度
おもしろそうだからついていっちゃおっと
RIKA

山奥村
ビイイー
しつこいなあ リカのやつ まだ ついてくるぞ!
オレの走りに ついてくるとは いい腕してるぜ!
どこまで いくのかしら あのふたり………

キイーッ
きゃあーっ
動物が
死んでる
！
心配ない
ボコ
おい
人間さまの
お通りだ
道をあけろ
昼寝なんか
してねえで
農作業でも
しろ！
てめえらっ
ドン
YAZAWA
RIKA

なんだ? やる気か
上等だよ 相手になってやろうじゃねえか!
信じられないわね
この村の牛たちは人間をなめてやがるからな!
うおい どけ どけっ
こんなところにも暴走族が!

本田
いっちょ
とりしまる
ぞ!
よっしゃ
あっ
あの人
は!?
ドドッ
ドド
あっ
カウンタックに
のっていた
署長か!
みんな
あのユニークな
駐在さんが
また
きただよ

やっぱ両さんでねえか!
な なんだ おまえなど しらんぞ!
島流《しまなが》し署《しょ》の署長だがね おぼえているだべ
ドドド
本当だ なつかしいな あいかわらず元気いいだよ

なんのマネだ中年暴走族にでもなったのか？
とんでもねえだ これから みんなで 畑仕事に いく ところだがね
こんなの つんで 町ン中 とばせると 思ってる かね？
なるほど それは いえる
すっごい バンビーン じゃない 高かったでしょ
ガリュリュリュ
安かっただよ 畑の一部を ちょこっと売った だけだがね
以前は スーパーカーが 多かったのに 今度は バイクかよ
すぐ ブームに のりやすい からのう
バイクは 体に いいだよ 土地が 広いから 一日100キロは のるだ！
その年で よく やるよ

ようそこにいるのは山奥村の連中でねえか
またおかしなのがきたぞ
夏祭りやっからよみんなこいや！
カボチャの煮物やしょうちゅうもあっからハデにやっぺ！
やっぺやっぺ
せっかく避暑地にきたのに東京よりうるさいな
本当にとんでる村ね
PIKA
PIKA

ドードーーンッ
白菜とトウキビのふかしたやつもってきたぞ！
もう始まっとるだがね！

本部
悪いな田吾作《たごさく》どん
CAMEL
CIBIE
村農協
またディスコ大会が楽しみだっぺ
まるで暴走族の集会だなこりゃ…
山奥村夏まつり
でも山奥だからだいじょうぶよ
RIKA

両さんもこっちへきておどらんかね
1皿 250円
ディスコもあるのか…
タケノコもっておどるだよ村で一番ナウイだ
いいよ
この村のバイク熱はすごいわね
ワオン
それでは本日のメインエベント
山奥村一周レースを始めます
一位入賞者には字山奥《あざやまおく》の畑200ヘクタールを二位は耕うん機10台を……
ワッ
おもしろそうね出場してみない
よっしゃやってみるか
ハニー・バンタム

山奥村
大レース大会
さあ いよいよ いくぞ!
ドドドゥ
ドゥン
本田 手かげん してやれよ
わかって いるよ
ドドッ
ねえちゃん そんな体で だいじょうぶ なのか
なんなら ぬいてみる!?
ドドドッ
ほんじゃ まず 出発!
バッ

やった 一気に トップだ
こちとら プロライダーよ!
あっ リカが ついて くる…!
こうなったら リカと 一騎うち だ!
国産の パワーを みせて やる!
まけるもの ですか!
あっ
本田 なに やってんだ 女に まけたら ハジだぞ!
あわてるな パワーは こっちのほうが ある!

あの連中
別なコースへ
いっちまった
だよ
まったく
あっちは
熊や
イノシシが
でるだよ
ねえ
本当に
この道で
いいの？
しるか
おまえが
悪いんだぞ
!!
やはり
くるんじゃ
なかった！
東京の
ほうがいい！

★週刊少年ジャンプ1980年37号及び38号

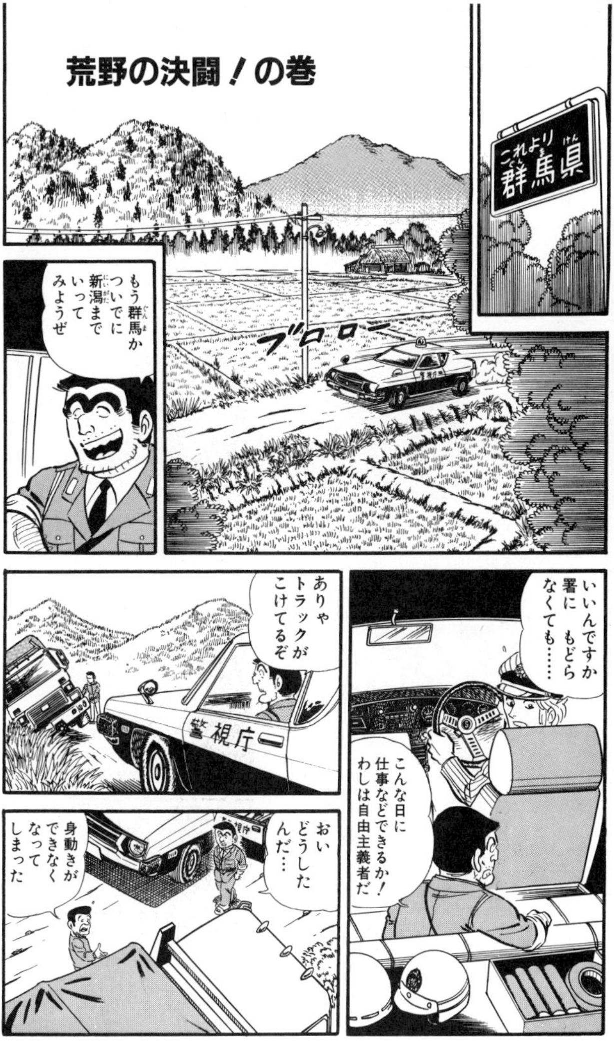
荒野の決闘！の巻
これより群馬《ぐんま》県《けん》
ブロロー
もう群馬《ぐんま》かついでに新潟《にいがた》までいってみようぜ
いいんですか署に　もどらなくても……
こんな日に仕事などできるか！わしは自由主義者だ
ありゃトラックがこけてるぞ
警視庁
おいどうしたんだ…
身動きができなくなってしまった

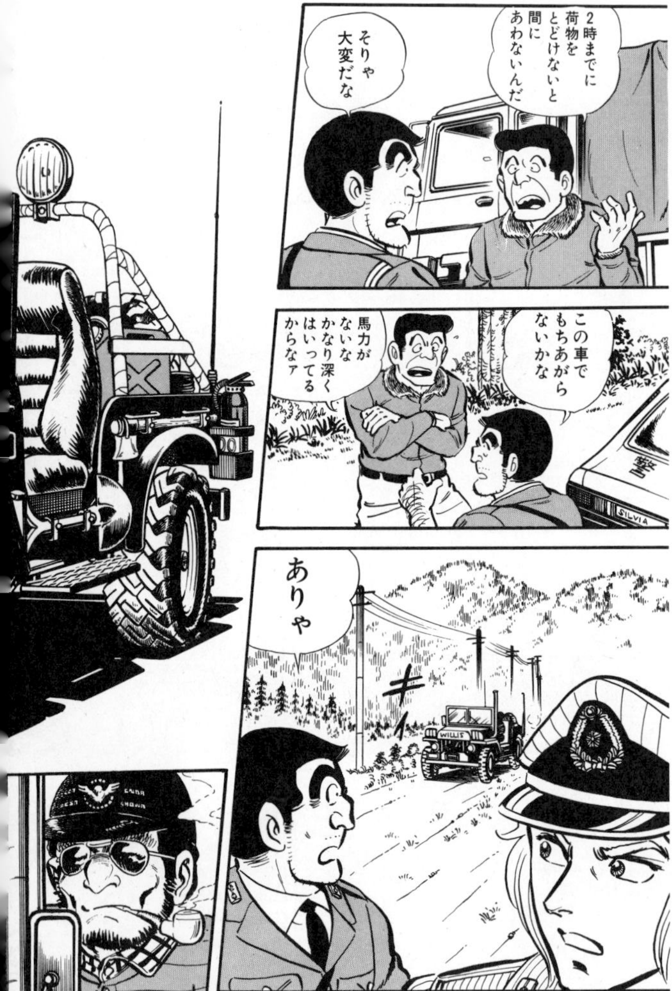
2時までに荷物をとどけないと間にあわないいんだ
そりゃ大変だな
この車でもちあがらないかな
馬力がないなかなり深くはいってるからなァ
ありゃ
ギイ
WILLIS
SILVIA
警

荒野の決闘！の巻

手伝って
やろうか
ヌッ
そんな
小さな車で
あげられる
もんかよオ
ギャギャギャ
ひゃあ
――っ
ばかっ
びっくり
させるな
ブロロロ
ここは
路肩が
悪いから
な……

それじゃ いくぜ
無理だって いってるだろ
ガギッ
あっ 動いた!
WILLYS
TAKO META

ここまでだせば
あとは
だいじょうぶ
だろう
いやあ
たすかった
よ
少ないが
お礼に
とっといて
くれや
やめて
くれ
この土地は
わしらの
ふるさとだ
いい人だすけは
当然だ
まっ
気ィつけて
いってくれ！
ガク
ババババッ

しぶいな あの男…
まさに ジープ やろうって 感じですね
早くメシ屋 さがそうぜ ハラへって きた
そう ですね
やっと町中に でたのに たべもの屋が 少ない……
ん!?
県警察署
おい ちょっと とまれ!
キイー!
さっきの やつの ジープだぞ これ……
なぜ 県警察の 前にとめて あるんで しょうね
刑事 どうも ごくろう さまです
あっ

あんた県警の刑事だったのか!
おおさっきの警官!
ジープをパトカーがわりに
山ばかりだからな…オレの相棒だ
ウイリスMA《エムエー》型がベースですか
いようあんたもくわしいね
ピタリ!
ウイリスといったらジープの元祖だからなガッツがあるぜ!
多少 自分好みに改造してある
エア吸入パイプや水中排気管をつけてるから水の中でもだいじょうぶ!
ほうそりゃすごいな

よかったらのるか？ふたりしかのれんがな
のる　のる中川はここでまっていろ
ちぇっ
うひゃさむいなあ
わはっははは
真冬でもオープンでとばすのがジープのだいご味だ
ホロなどかぶせて走れるか
本当だなんのあつまりだいったい
みろよジープがたくさんあるぜ
ジープクラブのキャンプだ今や全国にたくさんのクラブがあるからな
すごいなあ

おっと!
ギャアアア
あぶないぞ あの車!
ばかにいそいでいたな
おや パトカーだ!
刑事! 今の車は銀行から2千万うばって逃走中です
なんだと!
よし追跡はまかせろ!
ギャギャッ

変なジープもおいかけてくるぜ!
前からもパトカーがきたぞ!
パフ パフ パフ
山の中ににげこめっ
乗用車で山の中ににげこむとは とんで火にいる夏の虫だ

バキ
バキ
おい ジープにおいつかれるぞ!
心配するな ジープには弱点がある!
ギュ
ギュ
お おい もう少し静かに走らんか いてっ
ガタ
ガタ
チュキュ
早く走ったほうが振動は少ないぜっ
ガタ
少なくない! いたたっ

こっちの
コーナリングが
弱いところを
ついて
ひきはなす
気か！
キキキ
よし
それなら
近道だ！
WILLYS
うわっ
ぶつかる！
ぎゃっ
おい
無茶
するな
まだ まだ
これからだ
WILLYS

やっとまいたぜ！これで安心だ
あっいたーっ！
なんだと!?
直角におりてくるぞ！
やめてくれおちるよぎゃーっ
心配無用この電動ウインチに不可能はない！
しつこいジープだ
しまった悪路に足をとられた
どうするんだ
車を すててにげるんだ早くしろ

ついに 車を おりたな もう こっちの ものだ！
命が ちぢまったよ まったく
もう だめだ にげきれ ない！
まて なにか あるぞ
しめた 自衛隊の 車を うばえるぞ！
おい 車を おりろ！
うわっ
たしか こっちへ にげて いったぞ
ブオオ
WILLYS
うおっ！

わはは おえるものなら おってみろ!
おそろしいやつをうばいやがったな
町中へだしたら危険だぞ
キャンプしてる仲間をよぼう
チェックメイトキングツーこちらホワイトロック
なるほど山道をいくにはジープが一番だぜ
まったくだ!

おおっ!
キキッ
なんだ
これじゃ
通れねえ
ぞ!
ガチャッ
うぎゃあ
——っ
おや
…!?

それっ3連のけん引だ！
うわっ
うおーーっ
ちくしょう
ぎゃっ

ムダなあがきはよせ!
かっこいいぞ!
よーしわしもジープ買うぞ!
今回ジープが出てきた為ペン入れが4日間もかかった。もうジープは出すのやめよう。しんど
とにかくあれからジープにしびれてるんだよ
本当
おいっ中川みろーっ
あっ
ジープ高いからとりあえずワイルドバイシクルにしたかっこいいだろ!
そのほうが先輩にあってますすよ
CHARI
6-1

★週刊少年ジャンプ1981年９号

さらば！わが友よの巻
警視庁亀有公園前派出所

だいぶ派出所のムードがかわっちまったな
DUCATI
先週 ドロボウに派出所をぬすまれてやっと元どおりになったのはいいけれど…
建物しかのこってませんでしたからね
この派出所ともつきあいが長いからなあ
情がうつるよ
年末大運動会の打ち合わせにいってくる留守番をたのむぞ
はい!
今ごろ運動会やるのか
年末紅白大運動会の第一回です
聖火ランナーもでるんです今日の午後にね
おもしろそうだな

ちょっと 便所 いってくる
あっ 配管が まだ 工事中 ですから 使用でき ませんよ
どうするん だよっ それじゃ！
公園の トイレを 使って ください
めんどう くせえ！ 派出所の 裏で しちまえ
ジョー
両津さん そこに いらしたん ですか
いつも 子どもと あそんで いただいてる そうで…
あ…いや 今 ちょっと…
ジョー
夏の あまった花火 子どもが 両津さんに わたして くれと……
そ… そうですか 今 手が はなせなくて その……
花火 もらっち まったよ こんなに いっぱい どうすんだ

それにしても 今日は カラスが よく くるなァ なにか あるのか…
中川 近所の人に 花火を もらって きたぞ
えっ 花火!?
今 鑑識課の人が きて 時限爆弾を 夕方まで あずかってくれと いって おいて いきました
なんで そんなもん あずけて いくんだ!?
そんなもん ぶっそうだ スミに おいとけよ
はい
まったく 本署のやつらは ここを 一時あずかり所と まちがえて いやがる
な なんだっ
お巡りさん! 事故ですよっ
なに!

派出所の目の前でぶつけやがって! まったく
おい だいじょうぶか!
すみません
よわったな 荷物を4時までにとどけないと
車 ぶっこわれてしまったのか
荷物あずかっといてくれませんか 別の車でとりにきます
別にいいよ
重いな こいつは よいしょっと
奥多摩《おくたま》のダム工事で使うんですよ そのダイナマイトは…
そうか
なにっ ダイナマイトだと!

先輩　これ ここにおいておくんですか?
しょうがないだろ ひきうけてしまったんだから……
それじゃおねがいします
すぐとりにくるんだぞ
そうとうありますね
ああ
山を 半分ぶっとばすくらいあるそうだからな 爆発したら公園ごとなにもかもなくなっちまう
えらい物あずかりましたね
おい 中川 さっきの時限爆弾信管をぬいてあるんだろうな
たぶん…そういってましたが………
ちわっ 石油もってきました
石油
軽油
おや今週はふたカンもあるのか?
いいえ 4カンです
この軽油はサービスです
ガチャン!

来週から値あげになるからって一か月分 注文したでしょう
火の用心
そうだったか……
だんだんえらい物があつまってきたな
石油
軽油
ドドド
いようダンナ!
ガオーン
おい こらっ バイクで中にはいるな
ちょっとあずかってもらいたいのがあるんだよ
なんだ?
明日 日よう日でスタンドが休みだからな ガソリン40ℓ《リットル》おいといてくれ
ドス
……
だめだっ これ以上危険物をふやすな
バオオオ
じゃあな 明日 とりにくるぜ!
ますますやばい この派出所などあと形もなくなるな
石油
軽油

キキッ
すいません トイレ かして ください
おい こら!
あんなもん 派出所の 前に とめる んじゃない!
いいえ ゲリで とまらない んです
ばかっ このトイレは こわれてるんだぞ!
あの ぶっそうな 車を どけろ
あっ
中川 にげる気か こら!
もう たえられ ませんよっ
グイ
おまえ たち なにやって るんだ!
あっ 部長

まったく！目をはなすとすぐ　にげるちゃんと派出所で仕事しろ！
おっなんだこれは？
紹介しましょう
まず　奥からダイナマイトさん140本　時限爆弾一個打ちあげ花火ひと夏分左から　石油4カンガソリン40ℓ《リットル》軽油10ℓ《リットル》
そして表にひかえていますのがプロパンのタンクローリーでございます
打ち合わせがまだ残っていたちょっといってくる
あっ部長
はなせおまえは派出所からでてはいかん！
死ぬ時はみんないっしょに部長！
中川までにげやがったみんなはく情なやつばかりだ

ロウソクは
いらんかに
お巡りさん
こらっ
そんなもの
もって
くるな!
地震の時も
便利な大型
1本
いらんかに
いらん
いらん
中にいれるな!
なげても
きえん
ほら!
ぎゃあ
軽油
油
トン
やめろと
いってる
だろ!
バカッ
バシ
バン
バン
けしちゃ
だめだがに
今度は
10本を…
わかった
買ってやる!
買うから
やめてくれ
そうかに
まったく
おそろしい
バーサンだ

いたいた ようし びっくり させて やろう
なにしろ 米軍《べいぐん》払いさげの 火炎放射器 だからな 高かった……
たっぷり 自慢して やろう
ヘイ ユー ホールド アップ!
ぎゃあああ!!
そんなに おどろいて くれるとは 買ったかいが あるぜ
ばかっ やめろ 星《ほし》!
なに? 火をふく ところを みたいのか…
ちがう マイトが あるんだ 爆発するぞ
心配するな 爆発は しない そこまで いうなら ぜひ 火をふく ところを…
いかん だめだ だめ!
今日は とりこんで いるんだ たのむから 帰ってくれ!
そうか 残念だな ぜひ みせたい

ひょっとして信じてないのか本当に本物なんだぞ
信じるよたぶん本物だ
たぶんだと…やはり火をふくところを…
ビッ
わかった信じます本物です
うれしいぜそんなによろこんでくれて!
あっ
ペッ
やたらすてるなもう!
すごく神経質だな
今日はひきとってくれ!
どうも!ダイナマイトとりにきました
ブロローッ
よかった早くもっていってくれ!
どうもおかげでハラの調子なおりました
さっさとどかせこの車

よいしょっと
ベキ
ポト
お世話さまでしたどうも
ふうこれでなんとかひと安心だ
石油なども奥の部屋においておこう
ここじゃ心配だ
今聖火ランナーが亀有《かめあり》公園にさしかかりました
ワッ
ワッ

ん!
今 たしか 声が きこえたぞ ……?
バイバイ と………
気のせい か… おっ
聖火 ランナーが こっちへ くるぞ
また ハラの 具合が…… うっ…
おや 聖火ランナーが 派出所に かけこみました
こらっ 火をもって はいるな
ちょっと トイレ かります
まったく こわれてる時に よく 利用 されるな

記念にロウソクにつけておこう
どうもすみませんでした
おう がんばれよ！
さっきのさわぎでロウソクがバラバラになっちまった
せっかく買ったやつだ全部 使ってしまおう
ハッピバースデー両さんハッピバースデー……
ん!?
げっダイナマイトだ
パチパチ

宿完成まであと2年
海外研修あり
警視庁は君をまっている
この派出所で申し込みを
花の警察官募集中
気がるにおはいりください
先着100名に粗品さしあげます
この親しみの像
このくらいやればひと目をひくことだろう
今日からこの派出所はわしの方針で運営する!
～～い!!
て
は
着っ
お～い

あけて
くれーっ!

派出所が爆発したぞ!
なにごとだ!?
ゴホッゴホッ
いてっ
ゴン
これは派出所の赤色燈じゃないか……

★週刊少年ジャンプ1981年４・５合併号

サバイバル新年の巻

昭和56年　元旦
グツ
グツ
今日は一段とひえこむな
バゥー!!

いくら派出所をぶっこわしたといっても 正月からこんなに 悲惨な生活をさせられるとは思わなかったよ
これでモチでも買いなさい
チャリン
よけいなことするなっ わしはホームレスじゃねえ!
ちくしょう 人を外見だけで判断しやがって!
あっ
おかゆがこぼれてしまった
最後のたべ物だったのに…うう…
ますます悲惨になってきた
もはやおちるところまでおちた…
もうダメだ

両ちゃんじゃない？そんなところで日光浴でもしてるの？
キキィ
こ…これが日光浴してる姿にみえるか!?
うん！
どこへいくんだこんなに早く
部長さんの家で 新年会によばれてるの
おせち料理もいっぱい用意してあるそうよ
くい物があるのかわしも いく
両ちゃんだけはさそわないように部長さんにいわれてるの
そこまですることないじゃないかつれていってくれよ～っ
ダメよ入口で 厳重にチェックするっていってたわよ！

ちぇっ
わかったよ
オニ！
ごめん
ね……
元五郎ちゃん
いくわよ
ワン
キイッ
ザッ

なにか重かったけど気のせいかしら…
よくきてくれたね車は 裏にとめておきなさい
はい
バイクが多いわ うわーっ本田クンもきてるわ
ブゥゥ
こういう時バックギアついてると楽ね！
わざわざ特注しただけあるわね
ドドッ
このBMW《ベーエムベー》R《アール》100RT《アールティー》は圭《けい》ちゃんのマシンね
うーむさすがにみがきこんであるぞ

本田クンのは
あいかわらず
ごちゃごちゃ
ついてるわね
かれの
性格が
よく
でてるわ
これは
麗子ちゃんの
かな…
かの女も
イタリア車が
すきね
かっこイイ！
ワンワン
どうしたの
元五郎
ちゃん
こうなりゃ
意地でも
おせち料理
たべて
やるぞ
みなさん
おめでとう
でした！
やあ
おめでとう
お年玉には
JCコミックスを
あげましょう
よろこばれます。
派出所
コミックス
発売中
1〜15
ここが
あいてますよ
ははは
漫画は頭のビタミンC

本田クン今日も仕事なの？
いいえこの服のほうがおちつくんですゥ
麗子くんすまないね料理手伝ってもらって…
いいえいいんですよ
きゃあ――っ
今ムシロのような物が台所をチョロチョロと
ムシロ…
ネズミじゃないのか？
もっと大きかったわすごくすばしっこくて
!!
あらお酒が一本なくなってる
さっきのんでしまったんだきっと……
奥の部屋に料理が用意してあるからそろそろたべることにしよう

今年は娘の手料理じゃなくてすまんがたべていってくれ
はいごちそうになります
先をこされてたまるか!
どこの家も押し入れの天井は開くようにできているんだ
やった!バッチリ
よいしょ
トッ
こ…こりゃうまい!さすが正月料理
人の家の料理は特にうまい
ガツ
ガツ
ガツ
ガツ
バタバタ…
どん
殺気!もうすぐここにくるな!

カズノコとイクラをもっていこう!
モグモグ
パク
あとは目いっぱい口の中にほうりこむ
パク パク パク パク
ふたたび忍者のごとくやみの中にきえていく
タ
さあゆっくりたべてくれ
なんだこれは!?
料理がメチャメチャになってる!
あっ
やはりネズミよきっと!
ネズミにしては派手だわ
このくいちらし方は犬か熊のようですよ
まさか家の中にそんなのいるものか

元五郎ちゃんはちがうわよっハンバーガーしか　たべないもの
わかってるよ
動物にしては栗きんとんの栗だけたべてるぞ…
高価な物だけえらんでたべたみたいですね
ざまあみろ！仲間はずれにした天罰だ！
わしを敵にまわすとおそろしいのだ！
ひや酒はよけい寒くなるカンしてこよう
正月やかって しったる部長の家
両津作
きゃあ――っ
やばい！モロにみつかってしまった
にげるが勝ちだ！

なにっ
本当に
人間が台所に
いたんだな
!
そこで
なにかしてたわ
私を みたら
いきなり 天井へ
にげたわ
やはり
人間ですよ
足跡も
のこってます
料理は 高価な
物だけ たべ…
酒を熱カンにする
みつかると
すぐ にげる
身の軽さ…
この三つを
たすと でてくる
答は………
先輩だ
!
両津だ
やつしか
考えられぬ
必ず
あいつは
ここへ
もどってくる
いいカン
してるなあ
ちくしょう
コンピュー
ター
みたいな
上司だ

みろ! あいつは しめったところと たべ物の あるところに くるんだ
ゴソ
ゴソ
ミシ
ゴキブリと同類ですね
ようし みてろ!
あっ
そこだ!
ドス
ぎゃっ
わははは びっくりした らしいな
バタ
ドタ
ドタ
ガタン
ドタ
そりゃ びっくり しますよ
おっそろしい 本気で やりやがった もう少しで ささるとこ だったぞ
部長とは 18年間も つきあっている からな! わしの 裏も表も 全部 しりつくされている
やばいなあ

両ちゃんも かわいそうよ なにも たべて なかった らしいわよ
うむ そうか まあ ゆるして やるか
おい両津 派出所の件は ゆるしてやる から でて こいっ
みんなで いっしょに たべましょう
全然 でてくる ようすは ないぞ…
先輩も いじける タイプ ですから
それじゃ たべ物を おいといて やろう
ああして おけば 勝手に たべるだろ
まるで ネズミとり ですね
両津用
うぬ〜〜〜 とことん なめて やがんな〜
わしの プライドが 完全に 無視 されとる
ようし ふくしゅうの 鬼となって やる！

じゃ
あらためて
のみなおすと
しよう
そう
ですね
先輩が
上で
あばれてる
みたいですよ
ドスッ
ドスッ
ズシーン
ドスーン
こらっ
やめんか!
ほこりが
おちるぞ!!
ドスン
ドスン
なにっ
ひきょう者
でてこい!
おりてこいっ
両津!
ガッ
ガッ
大魔神は
いかって
おられるのだ
ドスン
ズン
神にはむかう
おろか者め
制裁を
うける
のだ!
ドスン
ズシン
あいつめ
調子に
のりおって
でてこない
なら
だして
みせる!
なんで
すか?
それ
バルサンだ
あいつを
いぶり
だす
シュー
本当の
ゴキブリ
みたいに
なってきた

ありったけの
バルサン
たいてやる
さあ
みんな
外へ にげろ
さあ
あいつは
どこまで
がまん
できるかな
いくら
先輩でも
これには
負けるでしょう
がんばり
ますね
もう
でてくる
みろ
ひ…ひどすぎる
これは 非人道的
行為だっ
ゴキブリと
いっしょに 死んだら
どうするんだ!
安心しろ
おまえは
ゴキブリより
生命力が強い!

★週刊少年ジャンプ1981年6号

栄光の本田家！の巻
時差式信号
警視庁葛飾署ガード下派出所
七味入り
赤だし
青だし
ポッカ
みそ汁
警察官募集
アキカンはここへすてる事
まごころ
こんさあと
太田裕美
2/15
ゴミ

派出所の居そうろうはヒマだなあ
両さんお茶でもどうだい
おうサンキュー
ふああ退屈でねむたくなってくらァ
そうだね
ちょっくら外で 体を動かしてくるか
コキ
コキ
久びさに銃のトレーニング…
ゴミ
ワイアット・アープもまっ青のぬきうち
うあっあぶない!

なんだ文句あるのか
こんなところでうつなんて危険だぞっ
二月まで狩猟解禁だ悪い人間は一発入魂《ぱっにゅうこん》地獄いき
ひゃあ——っ
両さんここにいたのか
!
ようっ本田正月以来久びさだな
ちょうどいい遊び相手がほしかったところだうちあいしようぜ
白バイ隊員は銃もってないぜ!
公園前派出所が新築完成したらしいぜ!
なにっ
本当かよこんな早くたったのか
?
今日から使用するっていってたぜ
両さんまた遊びにきてくれよ
おう世話になったな

おっ みえた あれだ
ありゃ
まったく 前と同じじゃないか!
有公園前派出所
暴走の季節 メーカー商品合戦
Y.H.
S.K.
まったく 役所ってのは 芸がねえなあ アホか!
ほら 部長だって 前と同じだ まったく!

あっ部長だ
おまえのアホさかげんもかわっとらん
いいか! 今度 派出所をこわしたら人柱にするからな
新しい派出所をよごすな!
机に 傷をつけるな!
トイレをきれいにしておけ!
はい はい はい
台所をかたづけておけ
ロッカーを大事に 使え
まったく口うるさいったらありゃしない
小学校の新一年生じゃあるまいし注意が多すぎるよ
じゃあオレはいくぜ
どこへいくんだ?
もう 仕事おわりだからオレの家でオイル交換と点検をするんだ
冬場は大事にしねえとな
わしもつれていってくれ!
勤務はいいのかよ
おい こら両津ーっどこへいくんだ!
早く! つかまると人柱だ!
バウウッ

本田輪業
KAWASAKI
カワサキ特約店
本《ほん》田《だ》輪《りん》業《ぎょう》
(603)241
松上電機
陸王のオートバイ
キイッ
ついたぜ バイクいれるから ちょっとおりてくれ
おまえの家バイク屋なのか
まあなオヤジの道楽で 始めた店だ……
ドドゥ

ずいぶん
カワサキの
バイクが
多いな
ボクと
ちがって
父さんは
カワサキ党
だからね
おい
道具つかったら
ちゃんと
元のところに
おいておけよ
父さん
いたのかあ
紹介するよ
いつも
ウワサしてる
両さんだよ
アップ
ハンドル
みたいな
まゆ毛を
した人だな
おまえ まだ
ホンダに
のっている
のか?
すき
なんだよ
これが…
カワサキの
W1S《ダブルワンスペシャル》で
白バイ用に
したのがある
あのほうが
いいぞ
いいよ
これで
あわれな
やつだ!
W1S《ダブルワンスペシャル》の音を
一度 きいたら
とりこになって
他のバイクなど
のれんぞ!
また
始まった

父さんはカワサキに執着しすぎるよ マッハⅢ《スリー》やW1《ダブルワン》の新車おいてあるのは日本中でこの店くらいだよ
新発売 W1スペシャル いよいよ入る!
わしは気にいったやつでないとバイクは売らん主義だからな！
KAWASAKI
だから15年間も売れないいんだよ
のりこなせないようなやつは100万だしても売らん！
テレビや洗たく機のようにハイそうですかと売れるかバカモノ
もう！
おまえのオヤジさんもがんこだな
ああだから一年に2台くらいしか売れないんだスーパーカーなみだからね
テンバ号 50貫積二輪車

それで商売になるのか？
だから道楽なんだよ 定価も昔のままだしね
今一番売れている買い物バイクでもおけば売り上げあがるんだけど
カワサキじゃまだ買い物バイクはだしてないからダメなんだ
他のメーカーのは絶対に店におかないし…
とことんこだわってるわけだな
あんたエンジンオイルでも…いやお茶でものむかい
いやけっこうです
HONDA
ただいまーっ!!
あっ
HELMET
OIL
Kawasaki
カウリング
AB-15

だれだ こいつは!?
弟の門樹《かどき》だ 本田門樹《モンキー》ともよばれている
キイッ
バイクにのった時の本田そっくりだ
なんだよ にていて悪かったな
にいちゃん まだ バイクにのってるのかよォ ダサイな
いいだろ
20すぎたら バイク卒業して オレみたいに チャリンコに のれよ マルイシの!
チャリンコで 違反車 つかまえられるか!
そういうこと いうと オイル近づけるぞ
ぎゃっ
うえ〜〜っ
うっぷ うげげ
こいつ のり物酔いが はげしくて オイルや 排気ガスには 弱い 体質なんだ

小さいころは車やバスの写真みただけでもはいていたからね
よくこの店で生活できるなあ
おぼえてろオレたちのチャリンコ族でにいちゃんの白バイをおそってやるっ！
チャリンコにおいつかれてたまるか
オヤジ！バイク屋なんてつぶしちまえよこのニオイ…頭いたくなってくるぜ！
自転車屋やろうぜマルイシの専門店！
うるさいそんな骨のようなものが売れるか！
オートバイの革命児
公害と騒音まきちらす人間の敵だバイクは！
くやしかったらシャフトドライブの自転車つくってみろ！
いつもチャリンコとバイクでケンカになるんだ
おい！いなかのオヤジにタイヤもってってくれ
タイヤ
ホイールとバランサーをたのまれたんだあがったら今日いってくれ
えっじいちゃんもバイクやるのか？

そんなのしるかっ去年からたのまれていたやつだ
DOHC
Z650LT
ずいぶんでかいなあゼロヨンレースでも始めたのか!?
おまえのおじいさんも車のるのか
ぼくたちのメカキチもじいちゃんゆずりだからね
わしもついていっていいか……
いいよちょっときがえてくる
あれぼくのCBX《シービーエックス》しらない
あの大きなやつか?
ちょっとスペアーパーツがたりんのでかりたんだ
それでどこにあるの?
KV75
Z250FT
Kawasaki
分解しっぱなしでまだくみたててないんだが……
HONDA
ああ!

ひどい！これじゃあのれないよォ
つい…目の前にあったものでな
おかげでこのベアリングはピッタシあうよ
そんなものをとるためならここまで完璧《かんぺき》に分解することないでしょう
エンジニアの性《さが》とでもいうか中途半ぱはキライだ……
どうやってタイヤをはこぶんだよ！
しようがないわしの愛車をかしてやろう
バイクに傷つけたら白バイを分解するからな！
わかったよじゃいってくるぜ！
バオオーン
これだからバイクを店においとけないんだよ
おそろしい性格だな

いなかってどこなんだ！
千葉《ちば》だ15分でつく！
しっかりつかまっててくれよ!!

へい みえたぜ あれだ！
ふぎゃあーっ
なんだ そうぞうしいな……
ばか！急にとめるな！
悪い！いつものマシンとちがうからな

おう 速人《はやと》じゃないか… 元気か
オヤジに たのまれた ものを もってきたんだぜ
おお これじゃ やった!
なにするの それ?
おまえらに みせてやる 納屋へ きなさい
みろ これが 半年がかりで つくった 農業用 トラクター・カスタムじゃ
これで 農作業を するのか!?
本田スペシャル

フルチューンしたカマロのエンジンをのっけてあるのじゃ
4WD《ホイールドライブ》 前5段
すごいな本田の家族はメカマニアばっかりだ
来週トラクターの耐久レースがあるんじゃ V2《アイツー》をめざしやっとるわけよ ほっほっほっ
ガッ
ちょっとのってみるかね
そりゃおもしろい
ちゃんと四点式シートベルトをしたほうがええよ
それじゃいくかのう
ガク
ガオオム
うわっ

す すごい
セカンドで 80まで ひっぱれる からのう
トップで 130まで でるんじゃよ
いい! わかった から とめて!
いたたた 神経痛が いたみ だした!
なにっ
あぶない ぶつかる ぞ!

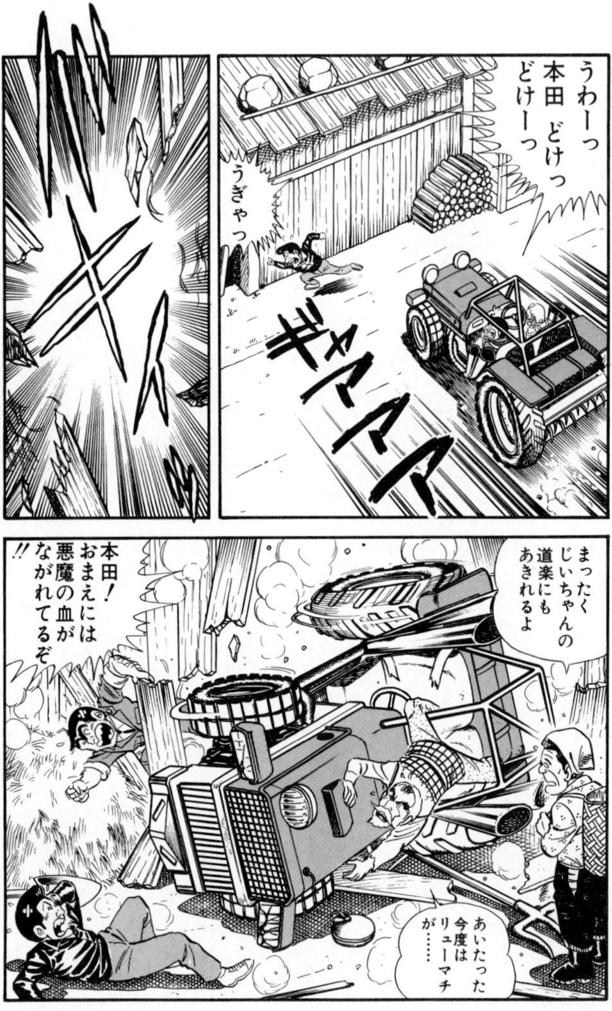
うわーっ
本田 どけっ どけーっ
うぎゃっ
ギャアアア
まったく じいちゃんの道楽にもあきれるよ
あいたった 今度はリューマチが……
!!
本田！おまえには悪魔の血がながれてるぞ

★週刊少年ジャンプ1981年7号

アー
ツケンバ星人
シャナウェイ
ナベゴン
J5RX
りょーつ
コブラわし
ガラゴパス
ウラメッシー
の巻
カバヤネン
テグラ

ソ-星人
ミノーズ
カブラ
トーン81
ゴモルス
とおでん
チルギール
ギンブラ
ギャラ
よい子たちへ!!

警視庁
コツ
ゴツ
星刑事……
ピク…
うぎゃっ
ドドッ
ピタ
おれのうしろにたつなといったろ！
おれは反射的に銃をぬいてしまう本能がある
これがプロの哲学だ

よう
星!
帰りに
マージャン
でも やって
いこうぜ
ば…
ばかもの
!
どうしたん
だよ
星!
気やすく
プロの
肩を
さわるな
よう 星
帰りに
一杯やって
いかんか
おまえら
気やすいぞ
はなれろ
!
どいつも
こいつも
まだ 昼だと
いうのに
あそぶこと
ばっかり 考えや
がって…うせろ
で
用件は
なんだ…
シュボッ
さきほど
電話が
ありまして

なんでも映画出演の件だとか………
ピクッ
…私に映画の依頼がきただと……
はい ぜひ主演でとりたいと……
ぐあっちちっちちちィ！
ハナがこげたあーっ
なまいきなカルチェのライターめこうしてやるっ！
思いしったか高級ライターのカルチェめ!!
今日すぐ 返事がほしいので内線で ここへかけてほしいとのことです
そ…そうかわかった
公園前の両津……きいたような名だ…

私を主役で映画をとりたいとのことだが……
はいはい
ふむ…みせ場はアクションシーンか…私の もっとも得意とするところだよろしい忙しい身だが協力しようギャラは…
時価…？
演技によってきめる？よしっ
では明日の午後…
ガチャ
むふむふ私の演技力に目をつけるとはするどい！
これで日本の映画も洋画に勝てる！

どうでした先輩!?
この顔に ピンときたら 警視庁 110番
OK《オーケー》 バッチリだ これで主役はきまった!
よく承知しましたね主役を!
星のやつよろこんでいたぞものすごく
よかった! これでメインの大怪獣の役がきまった 星さんは大柄だからピッタリだよ
大怪獣 8ミリ作品
アスレチックワワラ

いりゃあ
おりゃっ
どわっ
ぐわっ
30回目
よし
このくらいに
しておこう
あの人
すごいわね
でも
30回で
やめちゃう
みたいよ
31 32 33
34 35…
40…
また
つづけた
わよ
ガク
でも毛むく
じゃらで
気味が
悪いわ!
人を
毛ガニ
みたいに…
くそっ!
ヒク
ヒク

まったくちかごろの女性はハッキリいうな!
どれどのくらい筋肉がしまったかみにいこう
うーむ一段とみがきがかかったな
美しいまるで動く芸術品だ
うふ…
私が日本映画のパターンをガラリとかえてみせるぞ!

どうしたんだ星のやつおそいな
おしゃれでもしてるんじゃないですか
どっちみちぬいぐるみをきちまうんだから関係ないんだよまったく
カメラはこのへんですね
ほうだいぶリアルだなこのビル……
そりゃあもう3か月かかってつくった品物ですからね

わざわざ こわれやすいように つくるのは大変ですよ
ほう
おっ やっと星がきたな
ギィー!
バタッ
愛車といい このスタイルといい ちょっと きめすぎてしまったかな
むふ むふふ……

やあ しょくん またせて すまなかったね
おそいぞ 早くこい
台本を みせてくれ セリフを おぼえる時間が 必要だからな
セリフは ギャース ギャース だけだよ
はやく これを きて!
奇妙な服だな SF《エスエフ》物の 主人公か?
はい これを かぶって できあがりと!
うぷっ
なにっ これが 主人公の 姿か!?

いったい この映画は どんな ストーリー なんだ!?
スタッフ
衣裳 寺井
カメラ 中川
登場者 星逃田
ツッパリザウルス 両津
カイケツマン 大原
司会
1 ビル街
なんで 私が 怪獣の役に なるんだ!
先輩の 話じゃ 星さんが その役を おおいに よろこんで やると いってましたよ
夏休みに 子どもたちに みせる 8ミリ映画 ですよ
8ミリ
大怪獣
両津さん あんた スピルバーグが 監督で 三船敏郎《みふねとしろう》と 共演だと いってたじゃ ないか!
そう だっけ
では 星さん このガソリンを 口に ふくんで ください 火をふく シーンを とります
ばかなっ 人間ポンプじゃ あるまいし そんなこと できるか!
えっ 星さんは 元サーカス団 にいたと 先輩が…
うそだ でたらめ だ!

私は
この役
おりる！
おしいな
ピタリ
なのに
まだ このカイケツマンのほうが いいこっちにしてくれ
そうですか？
これこそ私にふさわしい役だ
信実
結局わしが怪獣かよ………
それじゃ部長司会をたのみますよ！
よし
それじゃ本番いきます
3 2 1 スタート

小学生のみんなは夏休み規則正しい生活してるかな？
夜おそくまであそんだり宿題をなまけたりしてると…
予定表
すいみん
不良怪獣がみんなをさそいにくるよ
ギャ
悪いことをしてる子をおそいにやってくる
ギャース
カメラの
ミコン
そういう時にはカイケツマンをよぼう！
信実
いけっカイケツマン怪獣をやっつけろ
ITARIY
四峰デパート

やるか！このやろう
ガッ
ジャン
具の マル
先輩 怪獣が勝ってはダメですよ
すまん つい本気になって……
いきなりなげることないでしょうが
おまえがむきになるからだバカ！
はい もう一度やります
きっとカイケツマンがきみをみまもっていますよ！
ポッカ つぶつぶ オレンジ
信実
家具の アル
悪いあそびにさそわれたら勇気をもってことわろう
ちぇっ いやな役だ

きゃあ バッグを とられた！
なにっ
派出所の前で ひったくり とは ふざけた やろうめ！
こういう 時こそ カイケツ マンが いくぞ
中川！ 両津たちを うつし つづけろ！
はい
ぎょっ 怪獣が おいかけて きたぞ！
くそ！ ぬいぐるみ が 重い！
あとは 私に まかせろ
よし タッチ

正義は必ず勝っ！
とどめのエルボー・スマッシュ！
ふぎゃ
うわっ
どうだ！カイケツマンにかなうと思うか！
力をあわせればこのとおり！
よーしいいぞ！

区青戸公会堂
大成功ですよ 大うけです
子どもむきにつくったのが正解だったな!
あなた方が今の映画に出演されてたんですか
そうだよ
ぜひわが当宝《とうほう》に出演していただけないでしょうか
すごい ついにやった!
いやあたすかりますよ
怪獣役のキャストがいなくてこまってたんですよ!
おふたりともみるからにがんじょうで きっと いい映画が……
じょうだんじゃない!そんな役ごめんだっ

★週刊少年ジャンプ1980年33号

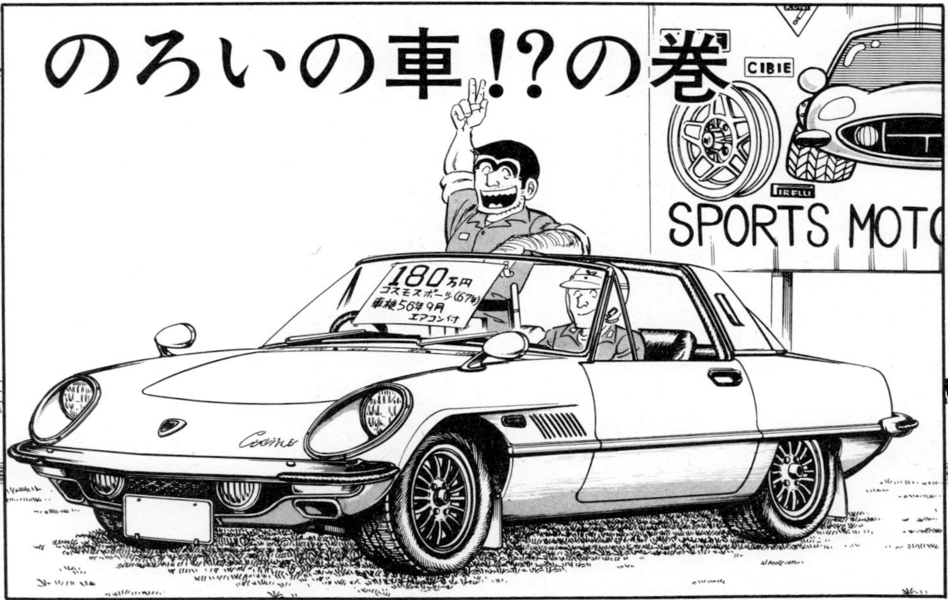
のろいの車!?の巻
CIBIE
PIRELLI
SPORTS MOTO
180万円
コスモスポーツ(67年)
車検56年9月
エアコン付
Cosmo

なんだって？本田が車を買うからついてきてほしいだと
それほど車にくわしくないぞ！
たのみますよ先輩は値切り方が上手だから
いつも半値以下にねぎるってうわさですよ今回予算が少ないんですよ！
しょうがねえなそれでいくらぐらいなんだよ
ポリポリ
2万円
2万円ねえ……
まっ本田のたのみだひと肌ぬぐか……
うわっありがたい！
ボリボリ
それで車種はなにがいいんだカウンタックかポルシェか？
2万円でそんなの買えるんですか？

買えるよ
タミヤで
レース仕様の
いい車が
でてる
ラジコン
じゃなくて
本物の車
です！
自家用車を
2万で
買うだと！
そ…
そう！
できれば
エアコン
カーステ付き
じょうだん
いうな！
2万じゃ
タイヤ4本も
買えんぞ！
だからこそ
先輩に
お願いして
るんですよ
両ちゃん
いってあげ
なさいよ
2万で
買える
かよ
両ちゃんなら
できるわよ
不可能を
可能に
する人よ
ちぇっ
こういう時
だけ ほめ
やがって！
わかったよ
いって
やるよ！
うわーっ
よかった
わしの
値切りにも
限度が
あるからよ
買えるか
どうか
わからんぞ
先輩を
信頼して
ます！

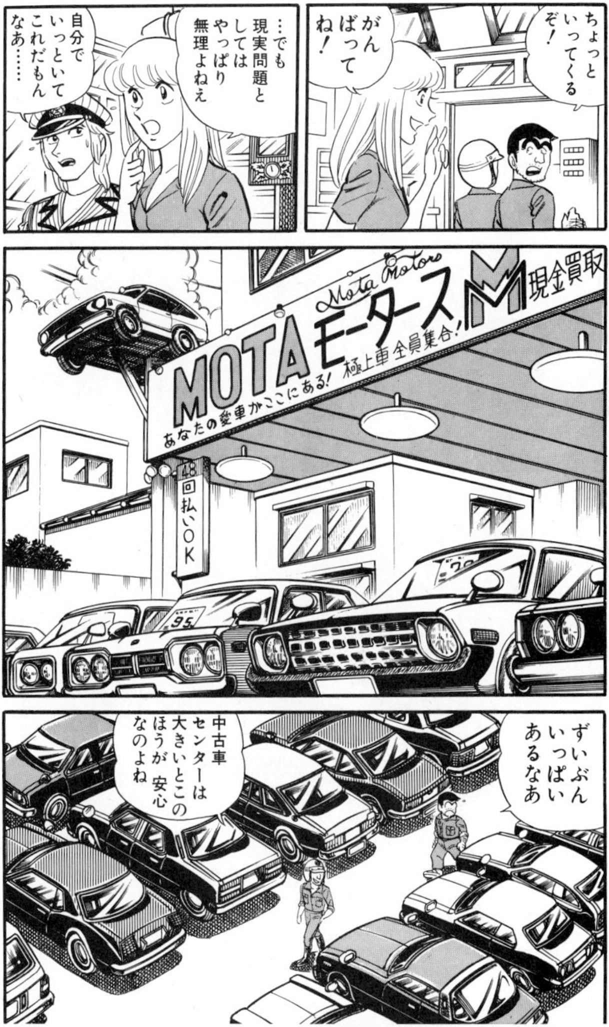
ちょっといってくるぞ!
がんばってね!
…でも現実問題としてはやっぱり無理よねえ
自分でいっといてこれだもんなあ……
Mota Motors
MOTAモータース
現金買取
極上車全員集合!
あなたの愛車がここにある!
48回払いOK
ずいぶんいっぱいあるなあ
中古車センターは大きいとこのほうが安心なのよね

よー本田 すきなやつ えらべ！
わあーっ 最高！
いらっしゃいませ！ 車をおさがしですか？
まあな
わしが買うんじゃなくて あいつだ！ わしはつきそいだ
そうですか じっくりと ごらんください
先ぱーい これがイイ この車！
そうか…
これはお目が高い このB《ベー》M《エム》W《ベー》320 '79年式は最高ですよ
走行距離も少ないし 前のオーナーは必殺みがき人でして ピカピカ
外車コーナー
MOTA
ねえ これがいいよ

この車はいくらするんだ
購入手数料などサービスしまして490万円ですよ
ちょいとまっていろ交渉に少し時間がかかりそうだ
がんばってください
おじさんよ物は相談だが……
はい！わかってます！もう なるべくお力になりますがご予算はおいくらで？
まあこんなところだが…
200万ですか…頭金には十分すぎますよ ハイ
その下だよ下！
20万円ですか？
もうひとつ下の位だ…
2万…
そう ピタリ 2万円
その2万円でなにをしようとおっしゃるのですか？
2万でこの車を売ってくれよ たのむよ
楽しみだな バイクは国産が いいが 車は ドイツ車がブルルルルン
………
………

どうでした!? まけてくれるって
MOTA モータース
あの車はよしたほうがいい! あきらめろ
えーっ だめだったのォ!?
ちゃんと2万にまけさせたよ! しかしエンジンが別売りらしい エンジンが高い!
そうかあ残念だなあ
それではお客さんこちらへどうぞ
こちらでしたら多少ご予算にあうかと思いますが
ポンコツコーナー
車検付き、走行数無限
タイヤ2分、走行可
バッテリー付き、バラ売りも可
激安
600円
5円
一本100円

ずいぶん型が古いなちゃんと動くのかよ
フジキャビン 10万円
そりゃもちろんまだ まだ走ります
かなりさびついているぞ!
そのサビがじつにいい味わいがあるのですよ
わざわざ塩水でサビをつくるお客さまもあるくらいです自然のサビは最高です
本当かよ
タイヤが丸ぼうずだこわいなこんな車!
なにをおっしゃりますか!
レーシングカーなど みぞがないでしょうよりレーサーに近いんですよサンドペーパーでみがきこんだんですよ
でもこわいなあ
む?なんだ
2000C《シー》・C《シー》クラスでターボチャージャーのスポーツカーないかってきいてるんだが……
このコーナーでは…そのような車は おいてありませんよ

これなんかどうですか 2万円頭金にして月1万円ずつ2か月です
別に 魚がしへ毎朝 いこうっていうんじゃないんだぞ
31-59
4万円
ライトバンや不人気車しか安くならないですよ実際のはなし
そうか
本田これにしろ
やだよこんなのっ
よく考えりゃオープンカーだぞ これはナウい車だ'90年代の車だぞ!
いやだこんなののりたくない
もっといいの世話しろよ!ないのかよ安いの!
値段が値段ですので…なかなか…
ラジコンならまあまあのが買えるんだが…… おや

おい みろよ この車 2千円 だってよ!
ロールス ロイス 2,000円 大特価 買いどく!
まさか! ロールスよ 2千万円 でしょ
おい! これ 2千円って 本当 だろうな
ええ もちろん 目玉品 です!
やった 本田 1万8千円 おつりが くるぞ ハハハ
でも なにか おかしいわよ 2千円なんて
そういや そうだな あのオヤジに しては 安すぎる!
ドキッ
キッ
なにか かくして いるな オヤジ
グイ
す すみま せん
じつは この車 事故車でして オーナーは すべて 事故で なくなって いるんです 人は たたりがあると 手ばなし 買い手も だんだん 少なくなり 今 ここにあると いうわけでして…

私のところでひきとってから社員がケガするしうちでも扱いかねてまして…ハイ
こわい！のろいの車よ！
買ったその車2千円で！
殺されたらどうするのよこんな不気味な車！
ばか！そんなのただの偶然だ！
2千円で！車 買おうというんだ多少のことは目をつぶれ
つりはいらねえキャッシュだ
なんと！ロールス・ロイスを買ってきちゃった！
どうしたのいったい⁉
ははははわしがいけばこんなもんよ！

本物ですか？プラモデルじゃないでしょうね！
ばかもの！正真正銘の本物だ！
いったいいくらで買ったんですか？
ズバリ2千円
2千円…
わしの値切りもすごいだろ
ピク
事故車なんだよなん人も死んだ車だから安く買えたんだ
このバカだまってりゃわからねえのに！
俗にいうのろわれた車か……
なんだか気味悪いわ返してきたほうがいいんじゃない……
ばかいうな！もったいない！
のろいだのたたりだのってのは偶然におきたことをむすびつけただけだ！わしは絶対信じないからだいじょうぶ
そうともいえませんよ

本でよんだけど先輩みたいにうそぶいて3日後になくなった人がいますよ
た…たまたまかさなっただけだ!
本田こんないくじなしほっといてドライブにいこう!
ぼくもこわくなってきたな
まったく度胸がいいというか…無神経というか……
なにごともなければいいけど…
イエイ最高だぜこの車!
はっははスピードがでれば気が強くなるからな
みんなみてるぞ注目度100%《パーセント》だ!

さっきから足さわるなよ運転しづらいだろ!
ん?なにが……
わしはちっともさわっとらんぞ!
そうかオレの錯覚かな…?
うわあ足が!!
おいどうした!
なんだって金しばりにあった!?
気のせいだよこいつおく病だからな
本当なんだよブレーキがきかなくなったんだよ

やはりなにかがこの車にとりついているんだ
なんか怪談みたいね
ただの鉄だぞどいつもこいつもしっかりしろよ!
しかし現実に本田さんまで……
先輩はいいかもしれませんがのるのは本田さんです
そうですよ
先輩やくばらいしましょう
わかったよ!やりゃあいいんだろ!
ナムカンゼオンダブツエロイムエッサイム…

私のやくばらいはおわりました
どうもご苦労さまです
OIL
続いて霊媒者《れいばいしゃ》の談之新《だんのしん》さんおねがいします
きえいいーっ!!
アホくさあんなことでわかるもんか……
きえええい
ガッ
いて
たしかにとりついております
これからとりついた霊をおちつかせる儀式をはじめます
まず地中深く半分までうめます
まるでフグ中毒だな
バッ
ザク
バッ

はい
みなさんで
おがむのです
どうぞ
おしずまり
ください
どうぞ
おしずまり
ください
ポク
ポク
ポク
どうぞ
おしずまり
ください
どうぞ
おしずまり
ください
どうぞ
さわいで
ください
ポク
ポク
かあーっ
ポク
いてっ
これで霊は
おしずまり
あそばし
ました
ご苦労
さまです
それでは
実験のため
わたしが
試乗して
みましょう

ギャギャン
けっこうですな さすが名車だ
最高
バタッ
それじゃ また 用が あったら おしらせください
どうも
ちえっ 結局 自分がのりたいんだ 実験なんていいやがって
でも なおったようですよ
おい 本田 これで安心してのれるだろう
そうですね なんとか安心しました

★週刊少年ジャンプ1980年40号

大江戸騒動！
月光小僧参上の巻
あんた がんばって きてね
ああ いってくるぜ
ん？
小判だ
！
あそこにも！
ここにも！
ゆうべ月光《げっこう》小僧《こぞう》さまがきなすっただ!!

騒動!僧参上の巻

両津勘吉《りょうつかんきち》
中川圭一《なかがわけいいち》
佐々木洋子《ささきようこ》
本田《ほんだ》巡査
星《ほし》 逃田《とうでん》

大江戸
月光小
ホテル
池田屋
秋本麗子《あきもとれいこ》
大原部長《おおはら》
戸塚金次《とつかきんじ》
寺井洋一《てらいよういち》
中川《なかがわ》の父の父

またまた月光小僧があらわれたよ!!
今度は亀有《かめあり》長屋に四十両もばらまいたよーっ
やったねえまったくイキなことするドロボウさまだよなあ勘吉
まったくうらやましいねオレんちもあやかりたいねえ!
番
番
また月光小僧がやりやがったよ!
今月にはいって3回目だがまったく手がかりがつかめんな
この番所の無能ぶりを町民にさらけだしてるみたいだ!
絶対ひっとらえんとメンツがたたん!
そうだ!

ガラ！
ずいぶん鼻息があらいな
なんだ圭《けい》ノ介《すけ》か
おまえなどにかまっていられん捜査が先だ
おう
先ばしりすぎるあのふたりは
まったくだな…
…でどうだわしの目にくるいはなかったか!?
もとは侍《さむらい》で葛飾藩《かつしかはん》に属していたしかし なにかの理由で 藩をだされそれからは だれも しらん
まさに大原《おおはら》どののカンはピタリだ
月光小僧の正体はすでにわかった
人一倍正義感が強く貧乏人の味方なのが有名だ

そして 今は大工で なめくじ長屋に すんでいる というのが 新しい情報だ
そうか よく そこまで 調べて くれたな
オレの足と 大原同心の 頭があれば 鬼に金棒さ
すると 次の ねらいは！
角紅屋《かどべにや》 三ッ美《みび》 市屋《しや》 岩井屋《いわいや》… みんな 悪どく もうけている 問屋ばかり おそっている からな
おそらく 悪どい問屋が たちならぶ このあたりの どこかだ
ひゃっ ほおーっ
どけ どけいっ
ガッ ガッ
ドガガ
本田さまの お通りだ 道を あけい！

またばか殿さまのお通りだよまったく
もう少ししっかりしてくれればくらしいい世の中になるのにねえ
貧乏人は苦労して死んでいくようにできてるのかねこの世は…
せめてものすくいが月光小僧だわれら庶民の味方だね
うちの娘もすいていてね月光小僧の嫁になりたい…なんてねははは
勘吉つぁん今日もおそくまで仕事したね
かせぎにおいつく貧乏なしってね！ははは

かあちゃん今けえったよ
ガラガラ…！
おかえり！
今日は初ガツオだからね
本当かよ そいつあ豪勢じゃねえか どうした
まったくすぐわすれちまうんだからね
今日はおまえさんと祝言をあげた日じゃないの
はは はそ…そうだったな！
そう思って ほら おまえにわしから！
ヒョイ
まあ
こんなりっぱなクシどうしたの 高かったでしょう
なあに安物よ心配するな！

こりゃ なまくらですな 五百文がいいところですねェ
あのオヤジ 武士の魂を…くそ!
ありゃ
おまえの着物はどうした 朝あったろ
あ…あれ 少し ハデだったからね うっちまったんだよ
うった だと…?
名前は勘吉 まちがいありませんね……
あとは現場をおさえるだけだな
すまん お麗《れい》…

なぜ なん千両もの 金を もちながら あんなところに …そこが げせんな
金……全部 くばっち まうんだろな きっと
本人は 一文も 使ってねえに ちがいねえ
…………
…………
きさまらは ただの人形か！ 手がかりも つかめんとは なにごとだ!!
今や 月光小僧は 町民の間で 英雄 あつかいされて いるぞ！ お上から 十手をあずかって はずかしいと 思わんのか！
町人どもも 非協力的で まったく 捜査が やりづらく……
ええい いいわけは ききたく ない！
必ず この城下に いるに ちがいない さがしだせ!!
大原 そなたも 手がかりが つかめんのか
いいえ
すでに 有力な 容疑者が うかんで おります
おお さすがは 大原じゃ

今後は大原の指揮のもとに捜査をすすめい
たのむぞ大原！
ははっ
御用
御用
屋とみ
本当に今夜月光小僧がでますかね
たぶんな…
みと屋《や》の悪徳商法は有名だ
明日　大きな取り引きがあり倉には一万両がねむっている
月光小僧は絶対目をつけている！
でもそれだけで今夜くるとはわからないでしょう
カンだ

わしは おまえらが うまれる 前から 奉行所に つとめて おるんだ
その わしの カンだ！
………
亀有8-20-1
両津勘吉
お愛
ヒョイ
すまねえ こうしな けりゃ 世直しは できねえんだ

御
圭ノ介
はっ

ここだけの話だが 今夜 あの男を つかまえたら どうなると 思うかね
奉行所の メンツは たちますね
同時に 町民たちの 夢や希望もきえ 不満は つのりましょう
………
おまえも そう 思うか…
つかまる でしょうね 今夜
これだけの 人数が でてるんだ
どんな 人間も にげられん よ…
7 TWELVE

千両の金で この家が つぶれる ことも あるまい
この金で なん十 なん百の 人間が 死なずにすむ わかってくれ
月光小僧 さん…？
う！
おもてに 役人が いっぱい かくれてます
地下の出口を おしえますから そこから にげてください
この店の 娘さんか ……
わかって くれて ありが とよ
でも にげ道を つかうわけには いかねえよ 正面から にげきって やるさ！
でたぞ！
ピ
月光小僧が でてきた ぞ！
TWELVE

さすがに今夜は役人が多いぜ!
うわっ小判が!!
うわっ

このうちの
一枚でもあれば
着物をかって
やれるんだがな
……
おーい
こっちだ
！
ちっ
そんなこと
考えてる
場合じゃ
ない！
うっ
ゴミの日
ゴミはちゃんと
当日の朝に！
日 木 金
ついに
年ぐの
おさめ時
だな
月光小僧
たのむ！
みのがし
てくれ！

ゴキブリ長屋には病人が八人もいるんだこの金がなければ死んじまう！
金さえわたせばオレは自首する！たのむ
往生ぎわが悪いぞ月光小僧
うわっ
すまねえ！
まてーっ月光小僧！
ピーピー
大原どのなぜ足を…
おまえが勝手につまずいたんだろう
圭ノ介

ニュース速報
月光小僧《げっこうこぞう》が
昨夜又現われ
ごきぶり長屋の
住民の命を
救いました
…………
だんな
おそく
なり
やした
だれだ
おまえは?
わしは
おまえなど
みたこと
ないぞ
…………
だんな
…………
カミさんを
大事に
しろよ!
さあ
またまた
あらわれたよ
月光小僧だよ
!
われらの
味方が
また 命を
すくった
よーっ

★週刊少年ジャンプ1980年41号

火の用心の巻

水の編
ICE NON
★読者のみなさんへ　読み方のお願い
①まず上段だけ読んでください。上段だけで〝水の編〟としてまとまってます。
②次に下段に移って読みますと〝火の編〟が楽しめます。時に〝水の編〟と〝火の編〟がクロスしていて２重に楽しめます。
③さらに最初から１ページずつ読みすすんでみるのも手じゃないかと思うヨ。

火の編

ちゃんと
あとかたづけ
しておけよ
火事にでも
なったら
大変だからな
ちゃんと
あとかたづけ
しておけよ
火事にでも
なったら
大変だからな

まったく うるさいな 掃除なんて 年末にやりゃ いいんだよ
中川 すぐ こい! 非番も クソもない 上司命令だ 星もよんでこい あいつは力がある 役にたつ すぐな!
COSMOS
ひとりで 掃除するのは大変だよ
こういう 時こそ 中川を よぶべきだ
まったく うるさいな 夜中だって いうのに 火事になる はずないよ
わしは 署に もどるからな キチッと しておけよ
はいはい わかって ますよ!
だんだん 部長に 飼育されて いくみたいだよ わしは サル回しの サルか!

キキイ
今回はバイクできめてしまったぜしぶい!
よう 星 よくきてくれたな
重要な仕事ときいてなすぐきたぜ
いけねーっ ガス つけっぱなしだ
ふう びっくりした あぶなく火事になるとこだったよ
ラーメンのスープが蒸発してかた焼きそばになってしまった
先輩 どうしたんです? こげくさいですよ
ちょっと夜食にアクシデントが あってな

なにがおきた
テロか…
それとも
VIP《ブイアイピー》の
警護か…
さあ
これを
もって!
むっ
これは
掃除機!?
はたして
この掃除機は
なにを 意味
するのか?
そっちの
部屋を
掃除して
くれよ
掃除?
いったい
なんの
ために?
なんのためって
部屋が
よごれてる
からに
きまってる
すると
掃除の
ために
わたしを
よんだのか
あれ?
ラーメン
つくっていたん
じゃないん
ですか?
急に焼きそばが
たべたく
なってな
気が
かわったんだ
この先で
火事が
ありましたよ
ボヤですんだ
そうですがね
火事?
それで さっき
消防車の
サイレンが
きこえたのか
今年は
多い
そうですよ

じょうだんじゃない そんなヒマはない!
ダダッ
あっ にげる気か!
にげられて たまるか ひとりでも多いほうがいいんだ
いたたた カミを にぎるな! セットがみだれる!
ふたりとも あそんでないで 掃除をやりなさい
コキ
カキ
あいて!
いたっ
火事は こわいですからね 気をつけないと
まったくだ……
石油
なんですかっ ストーブの近くに 石油カンをおいて!
え?
大火事に なるところじゃないですか あぶない
そうか さっきいれて わすれていた
石油

ありゃ麗子もきたのか！
そうよ さぼるとようしゃしないわよ
バカ！あいつまでつれてくるやつがあるか！
人数が多いほうがいいっていったじゃないですか
イトコのとしちゃん(6才)が書きました
持出禁止
ちくしょう あいつがくると にげるのがむずかしいぞ
あいて！
消火器
ぎゃっ
バシャ
本気で火事にする気ですか
悪い 悪い 足がすべって
早くモップをもってきて！
わかったよ そう どなるなよ！

両ちゃんどこへいくの!
便所だよおしっこするの!
といって下の漫画へうつってしまおう
先輩いなくなっちゃったよ…!
トイレにもいないぞ!
しまったやられたわ
いてっ
なに…上からにげだしてきたあ!
掃除なんてじょうだんじゃないよまったく
なんだおまえどこからはいってきた!
しっしいっさわぐとみつかる!
主人公がふたりいたんじゃ話がすすまんあいつを帰そう

おや 下で だれか よんでるぞ
なに かしら?
おい ちょっと
あっ こんな ところに かくれて いたぞ!
なにっ 下の漫画に にげただと !?
みんなで ひきもどし ましょうよ
ちがう わしは 火の編の 両津だよ
水の編の 両津は 下にきて いるんだよ
そんなところで なにして るんだ? だれかいる のか?
いや 別に 酒を カン してんだよ
もっと のもう 熱カン すきだろ おまえ!
さすがに わかるな わしと同じ だからな
もう少しで つれもどさ れるとも しらないで このアホが

いたいた ようし 一気にいくぞ!
今度にがすとどこへいくかわかりませんからね せーの
あのやろう裏ぎりやがったくそ!
もうにがしませんからねっ
ヒモでつないでおいたほうが いいわ
いてっ
よいしょっ よし つかまえたぞ!
さあ早くひっぱりあげて!
あっ みつかった ちくしょう
先輩 早く モップもってきてくださいよ
わかったよ 今 いこうとしてたんだよ
まったく うるさいやつだ!
あっ だめ だめ
ふぃちゃあ よけい ひろがります ちゃんと しぼって やらないと
それなら おまえ やれよ バカ!

漫画家国家試験

文部省不認定〈1級〉

名前　　　　　　点

問題〔1〕この2ページの仕上げをせよ《60点》

※他のページを よくみてやろう！

(a) ポケットや両さんの毛、中川の服のもようを先にかきいれる。

(b) ベタをぬる（黒くぬる）。ホルスターや手錠ケースは、白くラインを残す。

(c) トーン（81）をはる。服の裏地は ぬく。

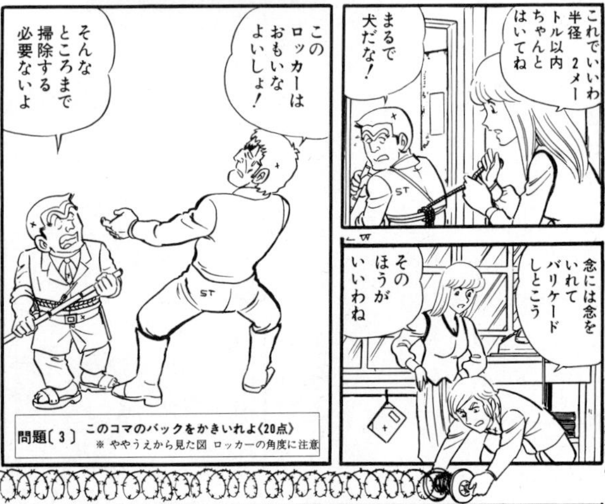

問題〔3〕このコマのバックをかきいれよ《20点》

※ ややうえから見た図 ロッカーの角度に注意

問題〔2〕右下のコマにギ音を入れよ《10点》

※人物にかからぬように。

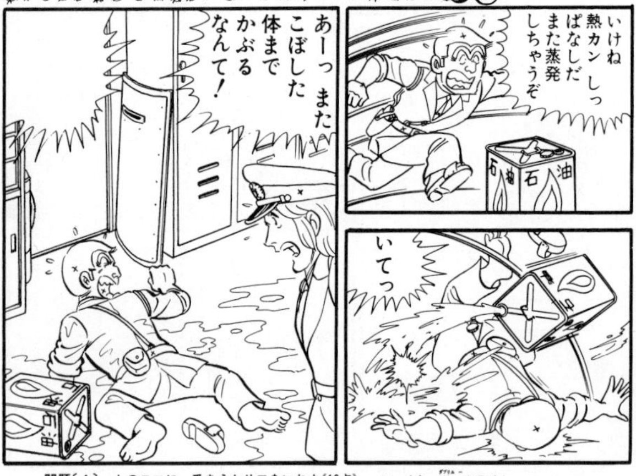

バシャッ

バッシャッ

↑見本

問題〔4〕上のコマに一番あうセリフをいれよ《10点》

〈例〉"すきでころぶか！ バカ"

×…ベタ　W《ダブリュー》…ホワイト

ST《エスティー》…スクリーントーン

●このテストのやり方　この見開きページをコピーにとり完成原稿にして送る。優秀な成績の人は１級漫画家の資格がとれる。認定は、秋本治《あきもとおさむ》の独断と偏見でおこなう。もしかしたら役にたつ。

〈注意〉応募作品の返却はしません。審査経過の問い合わせにも応じられません。プロの方はおことわり。合格者にはハガキで通知します。

わしを殺す気かおまえら!
ヒモはほどいておいたほうがいいわねえ
ハラがしめられていたくなった便所へいってくる
すぐもどってくるのよ
あーっあいつらバリケードしやがった
ちくしょう考えやがったな!
おい ぬれちまって 寒い! ストーブつけてくれ
だめですよ火気厳禁! この部屋は石油が しみついているんですからね

ねえ ここのお掃除 全部 両ちゃんに まかせちゃいましょうよ
そうだな たまには先輩に やらせよう
秘密の出入口から にげよう
ここが漫画の いいかげんな ところだ
ありゃ みんな いないぞ
わしを おいて にげたな!
きまった
夜中の ハイウエイを とばすには アメ車に かぎる
早く きがえて カゼひき ますよ
油くさくて かなわん
あっ 星じゃ ないか!
フラッと あそびに きたぜ!

フン
あいつら
なんか
いなくても
かまわん
読者の
みなさん
安心しなさい
わしが
8役やれば
いい！
このように
おや
みんな
両津は
どうした？
あれ
さっきまで
いたのに…
おかしい
わねえ
やつは
にげたぜ
さっそく
おいか
けて
ヨコハマ
バカ
葉巻は
よせ！
なに？
うわっ
うおおっ
これは
手品だ！
葉巻を
すてろと
いうのか
ゴルゴふう
に！
ぎゃーっ

ボォーーッ
すると横浜《よこはま》のバックに変身する
ヘイ ダンナ ハマまで10分できたぜ！
ワォッ
中華マン
ようしハマッ子できめようじゃん！
なんだ突然火事になったぞ
下が火事ですよ
パチ
パチ
上へにげよう
うわっこっちは火事だっ
パチ
パチ
早くにげろ
ゴォオオーッ
おおっすごい！上までもえてきたもえるぞ
くさい演技だ葉巻をすてるところがわざとらしかったぞ

やばい！早く となりの コマへ！
パチ
パチ
こっちは海だから だいじょうぶ！
あっ そうだ
穴を あけりゃあ 火が けせるぞ
おおっ きえた！奇跡が おきた！

◆制 作 スタッフ◆

—脚本— 中島《なかじま》 亜美《あみ》

—資料— 少年ジャンプ

—作画— 秋本《あきもと》 治《おさむ》 富沢《とみざわ》千夏《ちなつ》 田母神《たもがみ》慈宏《よしひろ》 池山《いけやま》しゅんじ 薄根《うすね》正俊《まさとし》 大魔神《だいまじん》信一《しんいち》

—夜食担当— 定食"千恵子《ちえこ》"

—おつかい係— 山本《やまもと》元三郎《げんさぶろう》

—担当(本誌)— マル・H《エッチ》

—提供— 子どもの本の集英社《しゅうえいしゃ》

★週刊少年ジャンプ1980年52号

ときめきの日の巻
亀有町会
亀有青年会
葛飾警察署
年末
交通安全
総務部
会計課
両津さん

はい！
ぬっ
びびっくりさせないでくださいよ！
早く…早くボーナスを………
ちゃんとあげますよ だいじょうぶですよ
そ…そうですか 手にするまで心配で 心配で この数日食欲もなくて………
スッ
これで 安心でしょう はい！
苦節182日半 なんと長かったことか！
わしの血と汗の結晶だ…
まったくあの人はいつも ああだからな
もらう物もらったら さっそく帰ろう ボーナスプランをたてないと！
両津専用
警視庁

中川の借金が10万…と
寺井《てらい》と戸塚《とつか》に5万ずつ
麗子に3万5千円
酒屋のツケがいっぱいだな そして月ぷもひいて…
のこりが自分の金だな
手取りとなると少なくなるな…
ぶじ 正月がむかえられるか不安になってきた
やめた！まだ金返すのはよそう！年末に返しゃいい！
うまくいけば相手が 借金のことわすれてくれるかもしれんからな
大切にしまっておこう
机の中じゃあぶないここのが安心だ

お巡りさん ケンカだ!
なにっ
年末だと いうのに ケンカなんか やるな!
公園の 裏です 早く!
まったく 近ごろの人間は 気が たってるな 人類の末期も 近いぞ
おっ 中川 帰って きたか
どうしたんです カラッポ でしたよ

ちょいとヤボなことでなひっひひひ
なにがおかしいんですか
なにがってボーナ…いや！なんでもない！
うっかり思いだされるとこまる！
おまえわしに なにか用事あるか？別にないだろある？
いいえ別に！
やったーっそれでいいおまえはいいやつだははは！
名手配
先輩にかした10万今月中におねがいしますよ
ズ
ル
なんだしっかりおぼえてるのか!!
そりゃあもう
あれ？ わしはおまえから金 かりたか？突然わすれたぞたしか10円かりたんだっけ？

そうくると思ってちゃんと借用書もとってありますからね
しゃくようしょ
私は中川から10万かりました。
55ねん8がつ
両津勘吉
うそだ！わしは そんなヘタな字じゃないニセモノだ！
わたす時の写真もあります
それもインチキだ合成写真にきまっとるワナだ!!
なんならテープもきかせましょうか
なー 中川 たのむ 友だちじゃないか！10万！10万！競馬 あたったらかえすから
おまえというやつはヒレツなやつだそんな物まで！
先輩にかすにはこのくらいしとかないとね
くそ！はかない夢だった
現実はつめたい…
オニ！アクマ悪徳高利貸しめ！
いいたいこといってるよ
もう〜

お巡りさん 大変なことが おきた!
ダッ
どう したんだ いったい
ボーナスを ぬすまれた んですよ
!!
それだけって… まだ 手を つけてない ボーナスが そのまま ぬすまれたん ですよ! そのまま そっくり!
なんだ それだけの ことか……
あんたも 運の悪い 男だね

そのボーナスでなにか買う予定でもあったのか？
車 買うつもりだったんです 頭金にしてトライアンフTR《テーアール》－7《セブン》
外車か！かっこいいね トライアンフといったら音が いいよ
そうでしょ 最高のスポーツカーですよ
その車で原宿《はらじゅく》あたりとめたらピッタシ 色は なに色？
モスグリーンです！これが しぶい 女が ほうっておきませんよ ハハハハハ
…すべてパアだね あわれなやつだ
うおおおおおん！
で…いくらとられたわけ？
50万円です
50万円！
そうです 全部！
絶対 確実保証つきに 金はでてこないと思うけど 調書を とってあげよう
広辞苑
辞典

50万と いったら バイクが 買えるよ
え オートバイ ですか?
今は 車より バイクの時代 かの女と ふたり乗り… 最高だよ
そうか それも いいいな
ナナハンか なんかで 第三京浜《けいひん》 とばしたら かっこいいよ 絶対もてる
本当!? もてる!? そりゃ最高 ハハハ
…しかし すべてが パアだね あわれな やつだ
わあ ああ!
先輩 気の毒 ですよ
けっして 傷口に 塩を なすりつける マネは すきで ないんだがね つい………
どこに おいといたんだ ボーナス
机の中に ちゃんと
そこが あまい!

机の中やタンスの中などあき巣がまっ先に目をつけるところだあまいな！
それじゃどこへ？
わしのように額の裏が一番いい！
このように死角をついたところにおけばちゃあんと……
しっかりここに……
し……
しっかりとなくなっている……
あっお巡りさんもとられたんだ
持出禁止
中川おまえとったろ
しりませんよぼくは！
広辞苑

すると
完ぺきに
なくなった
ない!!
バサ
わしの
ボーナス！
わしの
ない！
ボーナス
どこだ！
バサ
わしの！
どこ？
ボーナス
すごい
とりみだし
ようだ…
おまえが
とったんだろ
返せ！
ドロボウ
じょ…
じょう
だんじゃ
ありませんよ
やはり
中川
おまえか！
しりま
せんよ！
わしの
ボーナス
とったのは
おまえか？
おまえだろ
白状しろ
このっ！
うわっ
おまえだな
とりそうな
顔してる！
返せ！
ボーナス
なんの
ことですか
いてててて
ユサ
ユサ
先輩
おちついて
ください！
わおっ
ボーナス

私の時は あんな しらん顔 してたのに ……
うおおっ ボーナスが！ ボーナスが！ わしの ボーナスが
だれだ かっぱらったのは くそーっ
いざ 自分の身に ふりかかると 人が かわる
そうだ これしか ない！
本庁に かけあって もう一度 もらおう
無理 ですよ
無理なら 警察の全勢力を かけて 犯人を とっつかまえて やる！
そうは いきません よ！
あき巣は 一日300件も あるんですよ ひとりに そんな力を いれられません
ううう… 犯人が にくい…… う……う
一応 調書を とりましょうか 名前と職業を……
うう… 両津勘吉 職業は… 警察官です ううう……

こんなことしている場合か犯人をつかまえるんだ！
かならずつかまえてやるぞ！
ついさっきのことだからまだ この近くにいるかもしれませんよ
そうだまだまにあう！
むっ
ボーナス
えっ
手にかかったな！きさまが 犯人か！わしのボーナス返せこのやろう！
くるしいたすけてくれーっ！

やたらにつかまえないでくださいよ相手がびっくりしますよもう！
ガウウ
あいつは挙動不審《きょどうふしん》だったぞ
だれでもいきなり声をかけられればふりむきますよ
うっ
現場をおさえましたよ
あのやろうか……くそっ〜〜
あっ先輩！
ダ
やろう覚悟しやがれ！
ひゃあ——っ

どりゃあーっ
ガラ
ガ
ガシャ
バキ
うわっ
すごい迫力だ!
ふだんはああじゃないんですけどね
てめーっもうにがさないぞ
すみません返しますから!
あたりまえだ返しゃあ文句ない早く!
はい
パッ
なんだこりゃ?
なんだとっ下着専門ドロだと!
はい!漫画家などが高くかってくれるんです

バカ！まぎらわしいマネしやがって！
いて！
中川 先をいそぐぞ
他の犯人は全然 無視なんだからな……
にがすかてめ！
なにっ 自転車かっぱらうところだっただと
どうもすみません
肝心のボーナス犯がみつからないぞくそ！
へへへ ここもボーナスいただき！
火の用心
すごいカンだ あのお巡りさんは…
これで5人目か 世の中悪いやつがいっぱいいるな…

あき巣は
ボーナス時期に
かぎるよ
おまけに
12月は
留守も多い
へへへ
ゴミの日
月 水 金
木 もえない
ゴミ
おっ
うまそうだな
ひと息
いれるか
やきそば
300
甘酒
200
おーい
オデン
ひと皿
くれ
はーい
ば
300
つかれた
ここで
ひと休み
していこう
ラムネ
やきそば
300
おいしい
甘酒
200
おでん
味噌おでん
味自慢
おでん
さっきの
警察は
まったく
とろいぜ
また
来年
とりに
いこう
やばい！
さっきの
お巡りだ
甘酒
200
おーい
あま酒
3つくれ
長居は
無用だ
スッ

お客さん
オデンできたよ
あんたのだろ? このオデン
ちょっと用事を思いだして…
せっかくつくってくれたんだたべていけよ
グイ
あっ
バサ
む!
西津様
おいおとしたぞ!
ボーナスのでるやつがうらやましいよ……
ききさま!!
ダッ
にがすと思うか!
うわっ

人の金 とりやがって このやろう!!
あき巣にも ボーナスを あげよう!
バカなこと ぬかすな! ドロボウの くせに!
ポカ ポカ ポカ
あった 私の ボーナスだ!
両津 すごいぞ 自転車ドロ 3人 下着ドロ ひとり バイクドロ ひとり そして ボーナス専門の あき巣も ひとり つかまえた そうじゃないか 金一封もでるぞ
いやあ ボーナスを とられたと ききましてね 人の不幸を みすごせない 性分でしょう 正義のためにね
警官としてでは なく 個人として 犯人を つかまえた かんじだよ……

★週刊少年ジャンプ1981年１号

ああ青春！の巻

★日本《にほん》一周ツーリング装備一式

1	シュラーフ	5	ツーリングバッグ	9	オイルライター	13	洗面用具	17	水　筒	21	軍　手
2	ルックザック	6	地　図	10	予　定　表	14	新聞紙	18	食　器	22	補充工具
3	雨ガッパ	7	万能ナイフ	11	カ　メ　ラ	15	固型燃料	19	医　療　品	23	タコ足ゴム
4	ダウンベスト	8	ビニール袋	12	健康保険証	16	懐中電燈	20	パンク修理剤	24	少年ジャンプ

王手《おうて》!
完全にチェックメイトされた
がっはははどうだまいったか
だいたいチェスと将棋を合同でやることがまちがってますよ
わしは将棋しかしらんおまえはチェスしかしらんこうする以外ないだろ!
なんなら碁とチェスを同時にやるか?あるいは花札とトランプで…
もうけっこうですよ!
それともマージャンパイで7ならべをやるか?花札でセブンブリッジもできるぞ
わかりましたよぼくの負け負けましたっ
あたりまえだ負けをいさぎよく認めんやつは勝負する資格はない!たとえゲームでも真剣勝負だからな
それではわしは真剣勝負のパチンコをやりにいってくる
ちぇっ口ばかりたっしゃだよ

わっ あぶない!
ブオオオ
うわっ
ギャイイ
ガシャーン
急に 前に とびださないでください っ!
ばか! ここは 歩道だぞ
オートバイは 車道を 走れ! このバカ
車道だと 車が 多くて 危険じゃ ないですか
歩道の ほうが もっと 危険だ!

あ〜あ
バイクのキズ
だいじょうぶ
かな
こわれたら
日本一周の夢が
だめになる
なにが
バイクだ!
こっちは生身の
体が　キズつく
とこだったんだぞ
ん!?
今　日本一周
とか　いった
な……
ええ
このバイクで
日本一周して
いるんですよ
ほう
そりゃ
すごいな!
青春は
一度きり
ですから
ね!
どうだ
よかったら
派出所で
お茶でも
のんで
いかんか
そう
ですか
どうも!
みしらぬ人と
めぐりあえる
のも　旅なら
ではです!
青春だなァ
まっ
きたない
ところだが
少し休んでいけ

話をきかせろよ どういうコースでまわってるんだ
北海道《ほっかいどう》から沖縄《おきなわ》まで2万キロを完走する予定です まあ 無理せずのんびりツーリングしますよ
そうかいがんばるな…で 今はどこまできたんだ?
この葛飾区でもう30キロですよ
30キロ…おまえいったいどこからきたんだ?
家は新宿《しんじゅく》ですここまでくるのは大変でしたトラックも多くてね
それじゃスタートしたばかりじゃないか!
そうでもありませんよもう3日もたってますからね!
3日もかかってまだ葛飾区をウロウロしてるのかよ!
都内は 道が複雑ですからね無理せず1日20キロのペースで走行するようにしてますので完走には13年位かかる予定です
今25歳ですからえーと38歳までには日本一周できますきっといい青春の思い出になると思いますよ
ずいぶん気の長い話だ
ぼくは 安全運転の模範ですよあぶない時はバイクをおりておすことにしてますもし ケガでもしたら 青春がパアですからね
都内でよくテントをはって 野宿するところがあったな……

いや ホテルに とまりました 1泊目は ニューオータニ 2泊目が オークラ
ずいぶん ツーリングに しちゃあ いいところに とまるな
テントでは こわくてね ホテルなら 安心です とても いいホテルで 青春を 感じましたよ でも 金が すぐ なくなりまして ね……
あたりまえだ すべて ホテル どまりで 日本一周 できるか！
これから いよいよ 東京《とうきょう》をはなれ 千葉《ちば》に はいろうという 予定ですが スケジュール的に 無茶ですかね
千葉なんて 電車で ふた駅だ 10分でいける
いや！ よそう 無理は 今日は この 葛飾区で1泊 していこう
こりゃ 13年以上 かかるな
いよう ダンナ 遊びに きたぜっ
おう 本田か！
ドゥ
ドゥ

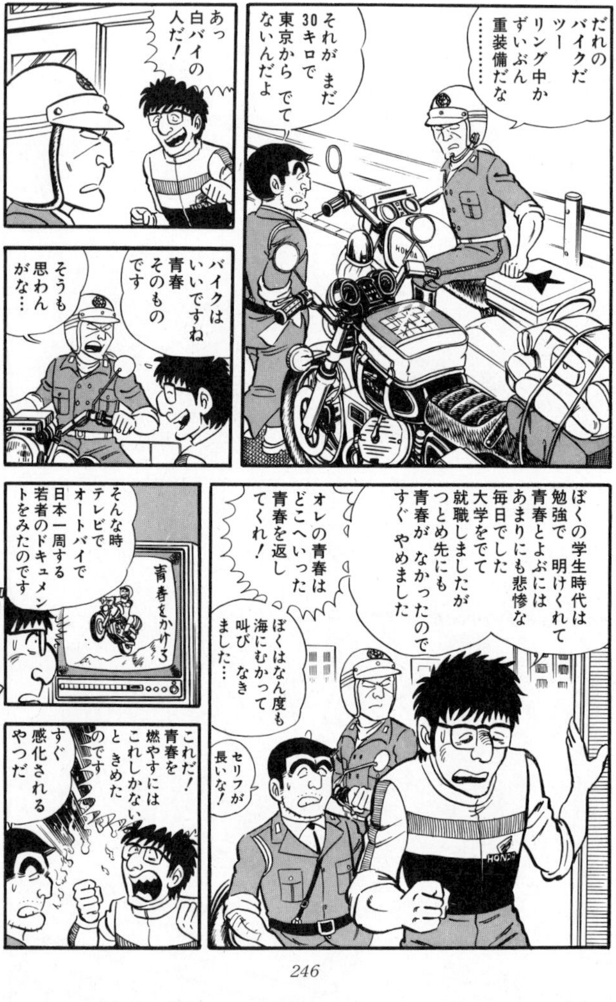
だれのバイクだ ツーリング中か ずいぶん重装備だな……
それが まだ30キロで 東京から でてないんだよ
あっ白バイの人だ!
バイクはいいですね 青春そのものです
そうも思わんがな…
ぼくの学生時代は勉強で 明けくれて青春とよぶにはあまりにも悲惨な毎日でした 大学をでて就職しましたがつとめ先にも青春が なかったのですぐ やめました
オレの青春はどこへいった 青春を返してくれ!
ぼくはなん度も海にむかって叫び なきました…
セリフが長いな!
そんな時テレビでオートバイで日本一周する若者のドキュメントをみたのです
青春をかける
ガーン
これだ! 青春を燃やすにはこれしかないと きめたのです
すぐ感化されるやつだ

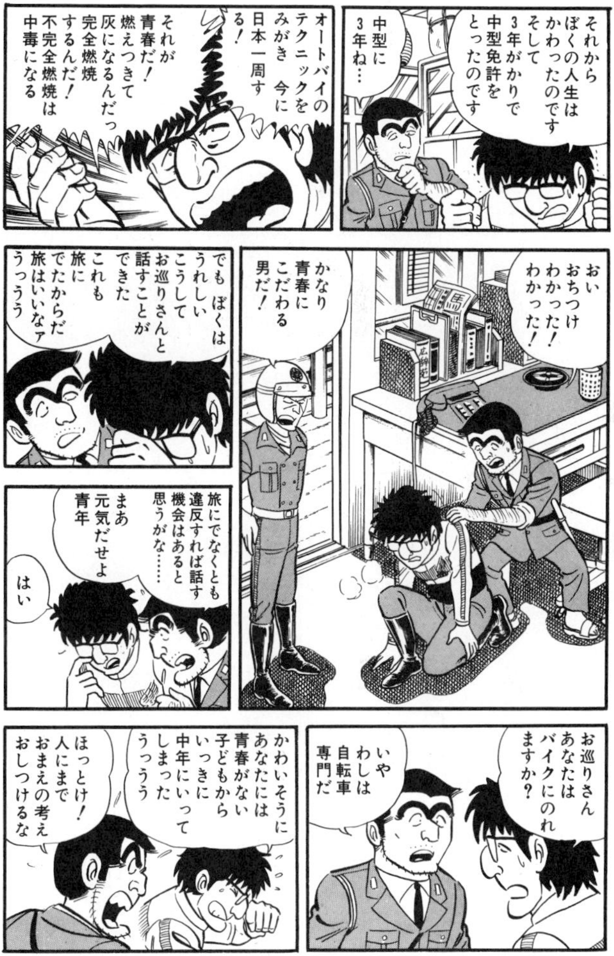
それから ぼくの人生は かわったのです そして 3年がかりで 中型免許を とったのです
中型に 3年ね…
オートバイの テクニックを みがき 今に 日本一周する！
それが 青春だ！ 燃えつきて 灰になるんだっ 完全燃焼 するんだ！ 不完全燃焼は 中毒になる
おい おちつけ わかった！ わかった！
かなり 青春に こだわる 男だ！
でも ぼくは うれしい こうして お巡りさんと 話すことが できた これも 旅に でたからだ 旅はいいなァ うっうう
旅にでなくとも 違反すれば話す 機会はあると 思うがな……
まあ 元気だせよ 青年
はい
お巡りさん あなたは バイクにのれ ますか？
いや わしは 自転車 専門だ
かわいそうに あなたには 青春がない 子どもから いっきに 中年にいって しまった うっうう
ほっとけ！ 人にまで おまえの考え おしつけるな

白バイのお巡りさん　あなたは青春してますか？
しらねえよ　近ごろの若いやつは　すぐことばをつくりやがる
そういういい方はナウくない　オジンのセリフです　そういうのをオジるといいます
うるせえな　おまえは！言語学者か！
おっ　もう　こんな時間か！スケジュールがくるってしまう
スケジュールなんてあるのかよ
HONDA
おかげさまで大切な青春の1ページになりました　失礼します
おまえのページは広辞苑なみだからな　まっ　気をつけていけよ
うぎゃ
広辞苑
また　バイクころがしやがった！前途不安だよ
あいたた　自分のバイクにつぶされる
HONDA

わわっ青春の汗と涙がバラバラになってしまった
おまえには青春のカケラが多いな!
バイクはおまえにゃむかんよいっそタクシーで旅したらどうだ?
タクシーには青春がない金がかかる
バイクと一心同体になってこそ青春の旅がある!
おまえは二心別体だよ
あれおかしいなエンジンのかかりが悪くなった
ドッ
ドッ
どれみてやる
チョークひきっぱなしじゃないかよく動かしてきたな!
そういえばよくエンストしましたよ
なにもしらねえやつだな!そんなことじゃパンクもなおせねえぞ!
パンクしたら新しいバイクを買います

雲ゆきがあやしくなってきたな無理しないほうがいいな…
お巡りさんこの葛飾にホテルオークラありますか?
あるはずないだろ!
ひとり旅ならユースホステルや青少年宿舎にでも とまりゃいいじゃないかそのほうが安上がりで楽しい旅になるぞ
えっホテル以外にとまれるところがあったのですか?
そうしたほうが いいよ先輩は旅なれてよくしってるからね
えっこの人も旅人ですか
中学時代九州《きゅうしゅう》旅行をヒッチハイクや野宿で2千円でいった記録がある……
2千円で…すごい……
旅なんてもんは行動力と機転だよ同じ旅行のグループとしりあっておごってもらえばタダ
わしはおごらすのは得意わざだからな
寺や警察にもとまったことがある
その行動力こそまさに青春!顔はオジるが心は 青春だこの人!

お願いします ぼくの もとめていた 青春の 旅です
よし! わしに まかせろ
本田 バイクを はこんでくれ こいつの運転 なん時間 かかるか わからん
よし
青年の汗 ユース ホステル
JYH
財団法人 日本ユース ホステル協会
つる
BMW
キ ギ ギ キイ
中川 サンキュー
がんばって ください
ボボボボボ
PORSCHE

青年の汐
いい名前だ
まさに青春！
若者が　とまる
感じがする
いちいち
感動して
ねえで　早く
はいらんか
は
はい
TOKYO
今日ですか
あいにく
満員ですが
なんとか
たのむよ
ひとりだけ
なんだよ
JYHの心得
東京めぐり
ようこそ東京へ
若者が
いっぱいだ
いい
ふん囲気だ
おーい
きみたち
ぼくは日本一周
ツーリングに
青春を
かけている
青年だよ
きみたちとは
今日から
友人だ！
特に
かわいい
女の子！
住所を
教えてくれ
文通しよう
売りこむのは
あとに
しろってのが
わかんねえ
のか！
あい
たたたっ

なんとか たのみこんで 食堂でねる ということで OK《オーケー》がとれた ちゃんと ここに 住所かいて 手続きしろ
食堂ですか ぼく TV《テレビ》付きの シングルルーム でないと ねられない タチで!
ぜいたく すぎるんだよ たのみこんで とまれるだけ でも ありが たいと思え
はっ はい! 食堂 けっこう 朝 一番で たべられるし
現代の軟弱 青年代表の くせに このみが 激しいんだよ この!
えーと 新宿区 百人町《ひゃくにんちょう》……
あら 東京の人 なんですか
東京 めぐりが すきなん だよ こいつは…
じゃあな! がんばって なくした 青春を かきあつめろ よ!
あっ いっちゃ うんです か!?
いっしょに とまって くれるんじゃ ないんですか お巡りさん
ばかいうな なんで わしまで とまるんだ
ぼくひとりじゃ この都会は こわい! みしらぬ 土地ですよ
地元の 東京だろうが オーバー なんだよ!

もしも ここで友だちができなかったらひとりきりになってしまいます
青春を語りあう友人がいなくなってしまいます!
ようこそ東京へ
よ…よさんかみんなが奇妙な目でこっちをみてるだろ
わかったよ夜までいてやるよ
本当よかった!
まったく世話のかかるやつだ!
うれしい青春の涙だ!
今日はやく日だえらいのにあっちまった
3号室
WC
きみ!きみはどこからきたんだい
え?
名古屋《なごや》ですけど
名古屋ぼくが一番すきなところだ!記念に住所をかいてくれたまえ

食堂
おい 荷物 ここに おいておくぞ
はい はい どこでも けっこうです
きみ そこの きみたち どこから きたんだ！
青森《あおもり》から です
青森！ ぼくが 一番 すきな ところだ！ 青春を 感じるなあ 記念に住所を かいてくれ ついでに 電話番号 も……
浦上ヶ丘Y.H 一周年記念 花火大会
つづいて きみ！ …は ちょっと 小さすぎる な…
おねえさん いる？ 高校生くらいの いるの!? 青春の思い出に 住所をかいて 写真をおくる ようにいって くれ！
おい！ 青春男
食器は各自洗ってとだなへしまう事！
はっ なにか 用ですか
おまえ 女を ひっかけに ここに きたのかよ
なんて 不潔な ことを！ 私は ただ 同世代の 仲間として ですね…
そのわりには 男をさけてる

さけるなんて とんでもない！
ただの男の友情より 女性との友情を 大切にしたい 女性を助けて あげたいという 気持ちから ですね…
もういい おまえの理論は わかった！
ま まったく 不潔だな お巡りさんは いやらしい 青春とは 美しく 華麗な ものですよ 考えすぎ！
顔が まっ赤だぞ おまえ
そうだ カメラを もって きたんだ 記念に とろう
おまえに しちゃ まともな ものを もってきたな わしを とってくれる のか？
HONDA
とんでもない フィルムが もったいない 被写体が ちがい ますよ
きみたち 青春の 思い出に 写真をとって あげるよ
わあ ありが とう
TOKYO
KAME
テレビは しずかに みましょう
ちょっと 男は フレームから どいて！ 気持ち 悪いから
ちぇっ
TOKYO
KAMEARI
きみたち あとで 住所教えてね 写真送る からね！ はい チーズ

青年の
あいつもあの調子でたくましく旅を続けるだろう
心配いらんから帰ろう
青年の
それじゃ日本一周がんばってねえ
もちろんだよ13年かけて必ずまわるよ青春のすべてを　この旅にかけてるからね
じつにすがすがしい朝だ！青春っていいものだな
あっ
な　ない！ぼくの青春をのせるバイクがかっぱらわれている！

★週刊少年ジャンプ1980年43号

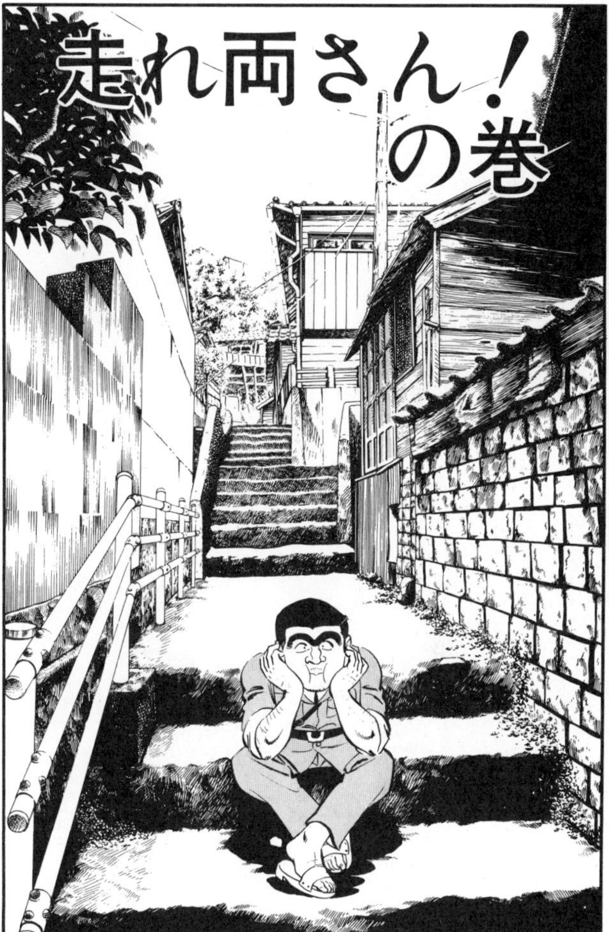
走れ両さん!の巻

すごい両津選手速い!
新型ブルーバードをぬきましたっ
シャカシャカシャカシャカ
ピットにはいります車線をかえました
キュッ
2輪ドリフトでストップ!
ザザッ
早くタイヤの交換だトップに3秒おくれているぞ!
なにやっているんだおまえら……?
ん!?

亀有シティーマラソン大会のトレーニングにいくところですよ
両津どうした早くしたくせんか!
消火器
あっ部長まで!
先輩も出場選手になっているんですよ
なにわしもだと?
4年前亀青《かめあお》中学の教員チームに優勝をさらわれた今度はぜひわが派出所チームがかえりざきをせんといかん
たかがかけっこじゃないですか!
頭脳はダメだが体力なら人一倍だ!今年はおまえがいるから心強い!
ガッ
あまりうれしくないほめ方だな
麗子くんも学生時代長距離ランナーだったからなたのむぞ
まかせといてよ
みんな用意はいいか出発するぞ

部長 派出所 からっぽに なっちまい ますよ！
少し くらい だいじょうぶ いくぞォ 1 2 1 2
ピッ ピッ
まったく スポーツの ことだと すぐ夢中に なるんだから な…
おい ちょっと 麗子！
グイ
きゃっ
カミの毛 ひっぱら ないでよ
シティー マラソンって どのくらい 走るんだ
24時間 走るのよ 土ようの 夕方6時から 日ようの 夕方6時 まで
まる 1日走る だと！
もちろん 交替で走るのよ 亀有から出発して 水元《みずもと》公園を まわって 江戸川《えどがわ》 ぞいに いって 水戸《みと》街道を もどって くるのよ
水元公園
江戸川
水戸街道
亀有
それなら 近道を しってるぞ 楽勝だ！
チェック ポイントが あるのよ そこを通過 しないと 違反よ

今日もちゃんとそのコースを通るわ
えっ全部まわるのかよ
ブーン敵機発見！両津機編隊より離脱！
あっ
じょうだんじゃないよそこまでつきあっちゃいられねえよ
清酒
澤之亀
カメブレンド
¥190
本番の時までエネルギーをためといたほうが正解だ
おい
仕事中堂どうと酒のむなっ両津！
えっこれ…？サイダーですよサイダー
ごまかす頭だけは回転が速いな走らんかこのっ！
あいったたたっ

今年はおまえがメインだからなにがすわけにはいかん
これじゃサル回しのエテ公だよまったくもう!
マラソン大会会場
そして いよいよ亀有シティーマラソン当日…
今年も優勝はいただきだ
グッグッ
体育の速見《はやみ》さんがいれば絶対ですよ!!
教員チーム

富貴
そば処
亀有シティー24時間マ
ずいぶん大勢の人がみにきてるのね
まったくかったるいなあ
派出所チーム
派出所チーム
派出所チーム
ガヤ
ガヤ
UCC COFFEE
ただ今よりルールを説明しますあつまってください
田母神
池田屋

一チーム4名で だれが走っても けっこうです 24時間 交替で 走り続けて ください
コースに ポイントが 20か所 あります そこで 必ず チェックして もらいます
コースから はずれたり 休んだり チェックしない 人は 失格に なります
スタート
まず だれが なん時間 走るか きめて おかんとな
ガヤ
部長は 2時間は だいじょうぶですね
派出所チーム
私は 5時間 くらい がんばれるわ
ぼくも そのくらいは だいじょうぶ だと 思いますよ
そうか
両津 のこりは おまえに まかせたぞ
ポン
はい はい 走りゃあ いいんでしょ
ん!?
部長が2時間で 麗子と中川が 5時間ずつ…で 24時間からひくと
12時間も わしひとりで 走るんです かあーっ 部長!
そうだよ もっと 走りたい のか?
派出所チーム

全体の半分じゃないですか！ちょっときついですよ
おまえの体力なら100時間は可能だ！きつくない！
それじゃ先発の人位置についてください
ザワ
ザワ
だいじょうぶよ前半でわたしたちが十分ひきはなしておくから安心して
わしはサイボーグじゃないんだぞ！くそっ
スタート
ズドン
ダーッ
ダダッ!!

早くも前回優勝の亀青中学教員チームがトップを独走です!
現役の体育教師が3人もいるんだ必ず勝つ!
僧寿司
小僧寿司
続いて派出所チームがおってます 年にめげずすごいファイトです
警察官の意地をみせてやるからな!
中華料理
やった部長が2位よ!
無理するとまた血圧があがるぞまったく

ゴロン
どうせ明け方に走るんだ今のうちにねておこう!
両ちゃん
両ちゃん
ん…ん
なんだよまだ夜が明けてないぞ…
大変なのよ圭《けい》ちゃんがケガしちゃって走れないの!
なんだとケガした?
今かわりに部長がまた走ってるわもどってきたらすぐスタートして!
まだ午前3時だぞ!今から走るのかよ
しようがないじゃない早く準備しといて
すべてがアンカーのわしに責任がまわってくるんだなちくしょう
ほらきたわ
部長も死にそうなツラしてるな

ト…トップは教員……チームだ! 絶対おいぬけぬかんとク…クビだぞ
このさいクビのほうをえらびたいよ!
派出所
派出所のイダ天両さん まってました!
おうまかせとけっ!
おっ派出所チーム いきなりすごいスピードでつっ走りました
あんなにピッチをあげて15時間ももつのかしら……?
人のペースにすぐまきこまれるからな
いっぱいねたからスタミナ十分だ がっはは

あそこが第一チェックポイントだな……
どうぞレモンです
おうサンキュー
トップとどのくらい差があるんだ
さっきいったところです15分くらいです
15分か…簡単じゃねえか!
すぐおいぬいてやらあーっうおおっおお!
おまえらどけーっじゃまだあーっ
周回おくれはハジを走れ!
いた!

トップはいただきだーっ!
ちくしょう!
すごい今トップにおどりでたって!
すごいさすが先輩!
ゴミバコ
しかし今日の6時までだからなまもりきれるかどうか……
派出所チーム
19

すごい汗ですよ続けられますか
やるしかないわししかいないからな!
ハラがへったよもう10時間以上も走り続けてるからな!
2位をかなりはなしてるからな…少しくらいはだいじょうぶだろう…
水元公園
ドロボウだあーっ!!
なにっ
銀行強盗だだれかつかまえてくれ!
あっあのやろう!!
ダッ

てめえーっ まて!
グイ
うわっ
ちくしょう
うわっ
ランドリー
やろう にがしてなるか!
元駅伝選手のオレにおいつけると思うのか!
大変よ 両ちゃんが行方不明になったわ!
全然チェックポイントにあらわれないそうよ
さてはにげたなあいつ!

まて このやろう こっちは マラソンの 途中だぞ
くそっ
おまえと オレじゃ スタミナが ちがうぜ
こうなりゃ 意地でも つかまえて やる！
あっ
こっちも 意地で にげてやる
屋根わたりなら ガキのころ からの 十八番だ！
ガチャ
ガチャ
くそっ 体のわりに すばしっこい やつだ
ベコ
ベコ
国道を走っ たほうが 有利だ
よし！ マラソンの ゴールのほうに むかっていくぞ
もう こっちの もんだ

くそっ なんて しぶとい やつだ！
もう 4時間も 走りつづけて いるぞ
ハラへった なあ さっき パン 全部 くっち まえば よかった
目が まわって きたよ！
次つぎと 選手たちが ゴールへ 到着して ます！
先輩 いったい どこへ にげたん だろうな
途中で にげだす ようなやつは クビだ！
あっ あんな ところから でてきた わよ！

おーい そいつは 強盗だ！ つかまえて くれ！
なんだと
まてっ こいつ
ちくしょう
ふう…やっと つかまえた……
あっ 両ちゃん
そうか そうか！ 犯人を おいかけていて おそくなったのか 心配してたぞ おそらく そうじゃないかと 思っていた 信じていたぞ
う…うそだ きっと にげたと思って クビにするんだ その目が うそ ついてる
初めから おたがい 信じあっていない ところが 『走れメロス』と ちがうところだな…

★週刊少年ジャンプ1980年44号

ハッピー
バースデー!?
の巻
田母神酒店
田母神酒

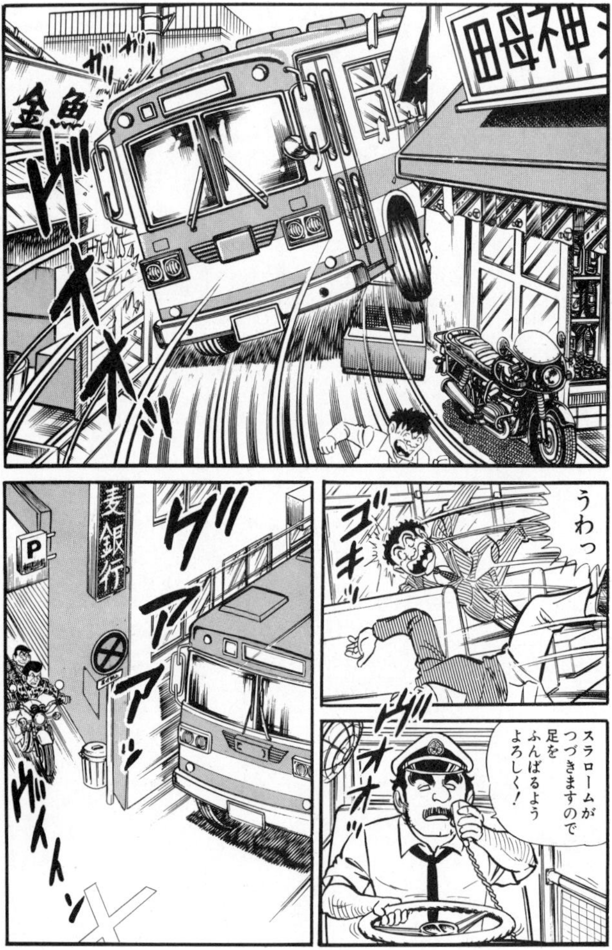
ガリ ガリ
ヴオオオオ
うわっ
ゴギッ
スラロームがつづきますので足をふんばるようよろしく！
ドオオッ
グアアアアッ
ヴィイン

あぶねえ！
うおっ
ギギギイ
opa
オパ
ギャッ
ばかやろう でけえ図体しやがって気をつけやがれっ
おう両さんじゃねえか！
あ…おまえは!?
うるせえ スピードだしすぎだぞ！てめえーっ

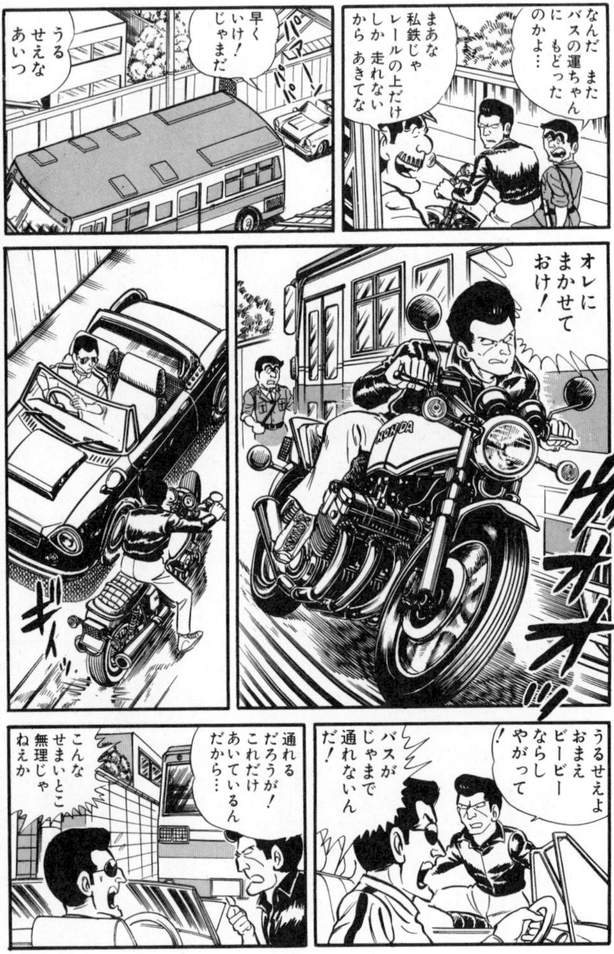
なんだ またバスの運ちゃんにもどったのかよ…
まあな 私鉄じゃレールの上だけしか走れないからあきてな
パァーン
パパッ
早くいけ！じゃまだ
うるせえなあいつ
オレにまかせておけ！
ヴォオオオ
ギイッ
うるせえよおまえビービーならしやがって！
バスがじゃまで通れないんだ！
通れるだろうが！これだけあいているんだから…
こんなせまいとこ無理じゃねえか

ようし
無理かどうか
やってやるよ
やめてくれーっ
名車の
フェアレディ
だぞォ!
ガオオム
ガリ
みろっ
ちゃんと
でられる
だろうが!
ひ
ひどい!
キズだらけ
だ!
バタッ
ぎゃあ
ーーっ
バリッ
なにか
いったか
おい!?
い いえ
別に
どうも
ありがとう
ございました
ギロッ
どうか
したのか?
本田…
いや
よろこんで
帰って
いったぜ!
ワオーン

ふたりでドライブにでもいくのか? いそがしいのかい?
ちょいと雪見酒に北海道までね 別に 今度にしたって かまわんよ!
運転手さん いつになったら走るの?
おっ いけね すっかりわすれていたよ
じゃあちょっとはこんでくるからよ 3時に茶店《サテン》であおうぜ!
レッツ GO《ゴー》!
すげえな ホイールスピンさせながら いっちまった パワーがあるなァ
スポーツカー感覚でバスを運転するから のってる客はたまらんよ

仕事が
おわると
ホッとするよ
カラのほうが
気楽だからな
LEMON
レモン
店の前に
とめておいて
いいのかよ
平気！
もう　回送
だからな
あとは車庫に
いれるだけだ！
目の前に
あると
うっとうしい
な！
なんだ？
中に
はいれんぞ
今日
休み
なのか？

客商売だからな神経つかうよハードな仕事だぜ
神経つかってるとは思えんよ
おや事故かな?
なにっ
前でぶつかったぞ!
なんだいったい!
あっ救急車が事故をおこしてる
COFFEE
Lemon
だいじょうぶかっおい!
患者さんが……
なにっ赤ん坊がうまれるだと!
早く病院へつれていかないと……

バイクで運ぶんじゃちょいときついな
こういう時は不便だな
おれのバスがあるちょうど回送だ
バスでいくだと!?
白バイなら先導していけるんだがなあ!
おれにまかせろだいじょうぶだ!
それじゃいそいでください
妊婦をそっちへうつそう
あとはおまえにまかせたぞ
ようしまかせとけ!
…といってでたとたん渋滞にまきこまれた

おい 動かんのか なんとか しろ!
強引に 走って いいのかよ
警官の オレがゆるす 走れ!
よし 走るぜ
ガオオム
おい こらっ なに するんだっ
無茶は 承知だ! 道を あけろ!
ギュッ
ギュッ
くそっ 電車で いけば ひと駅 なんだが…
ばか! それを 早く いえ!

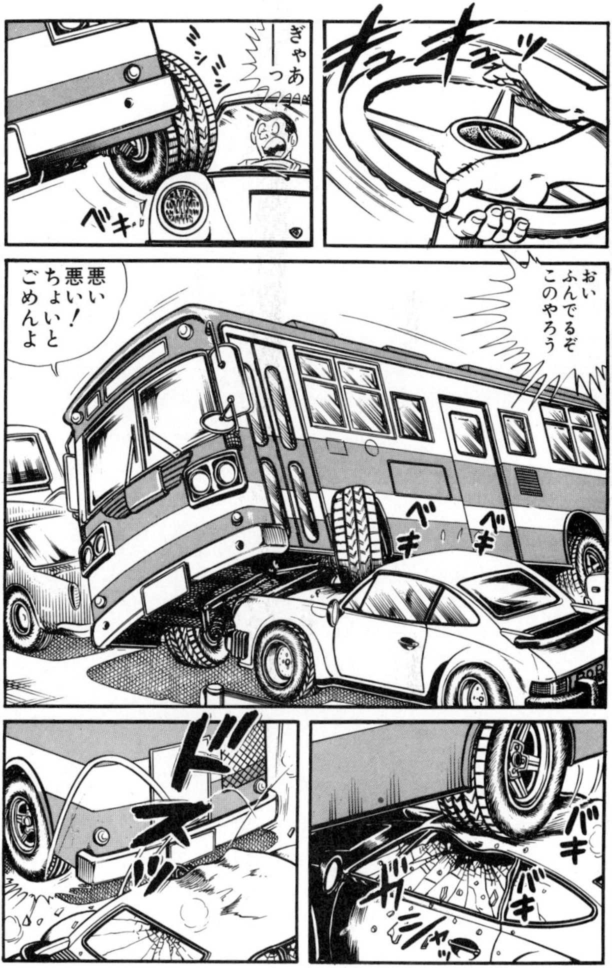
キューキュッ
ぎゃあーーっ
ミシミシ
ベキ
おい ふんでるぞ このやろう
悪い悪い！ちょいとごめんよ
ベキ
ベキ
バキ
バキ
ガシャッ
ドズッ

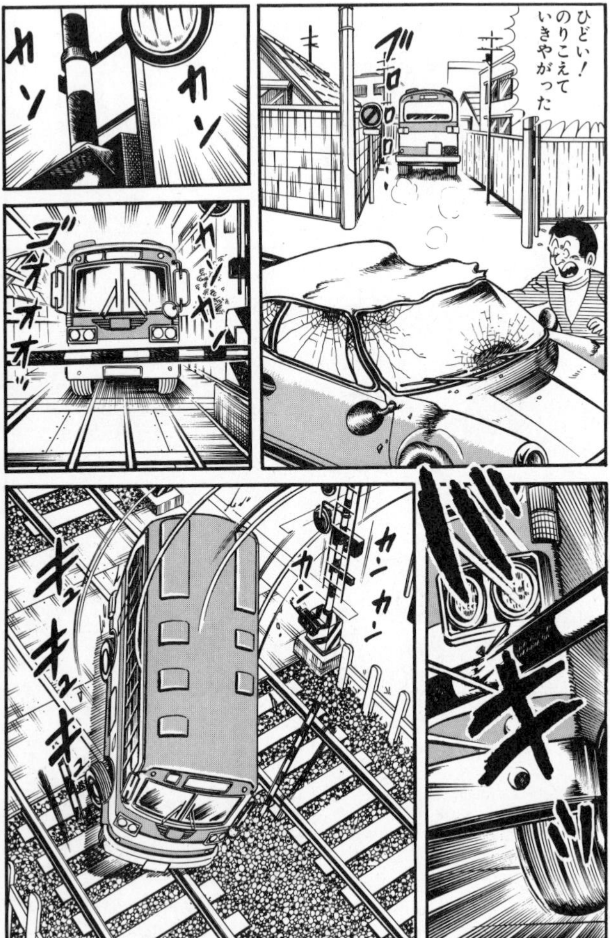
ブロロロロ
ひどい！
のりこえて
いきやがった
カン
カン
ゴオオオオ
カン
カン
ガキッ
カンカーン
カンカーン
キュキュキュ

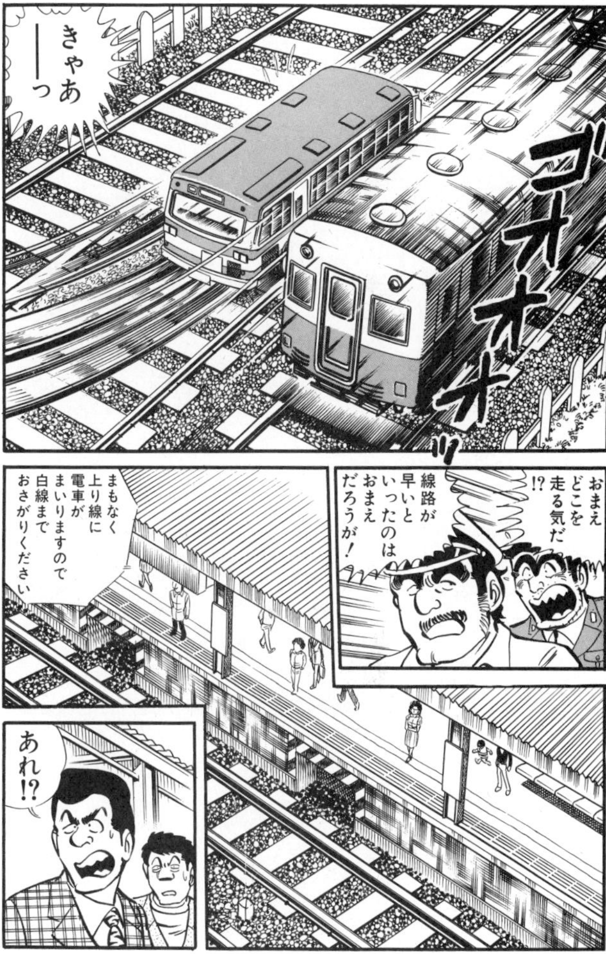
きゃあ——っ
ゴオオオッ
おまえどこを走る気だ!?
線路が早いといったのはおまえだろうが!
まもなく上り線に電車がまいりますので白線までおさがりください
あれ!?

キキイ
バタッ
KiosK
おい とまること ないだろ
いけね 私鉄やっていたから クセがついちまった
ブロロロロロ!!
なんだ あのバスは!!
ゲオン

妊婦がのってることわすれないでくださいよ
ガタガタ
わかったよ!
そこをでたほうが近いぞ
わかっているよ
グイ
ガオッ
ぎょっ
バキッ
ここまでくりゃもう目と鼻の先だ!
あっ
工事中
キケン
う回せよ
キキッ

ちくしょう
工事で 橋を
とりこわして
やがる!
この車両
じゃ 橋が
くずれち
まうな
こうなりゃ
川をわたる
しかねえ
だろうが
ヴオオオーン
どうする
ひき返す
か?
ばかっ
ここから
う回したら
30分は
かかるぞ
おい
本気か!!
ブロロロロロ…
バジャ
バジャ
ブク ブク
ゴボ
バシャ
ザオオム
だめだ
この川は
深い!
あたり
まえだ!
水たまりと
ちがうんだぞ

いたたた…
早くなんとかしてくださいよ!
なんとかしてやるよ
ガギ
ブロロロロ…
キィ
両さんもうしろでしっかりおさえといてくれよ
おい!川をこのバスでとびこえる気か!?
おうとびこえてやる!!
ゴオオッ

ぎゃっ
ダン
工事中
へへへ ピッタシ 産院前だ
おまえってやつは！
助平産婦人科
ザザ
さっ早く中へ！
すぐうまれるぞ！

あれから
4台目だぜ
すぐ バスが
こわれちまう
おまえは
のり方に
問題が
あるんだよ
以前は
どうも
お世話に
なりました
あっ!
おかげさまで
あの時の子が
こんなに大きく
なりましてね
お礼に
まいりました
でも 1日1回は
自動車にのせない
と ねつきが悪い
性格になって…
だから胎教に
悪いといったろ
しらんぞ
おまえの2代目に
なっても…

★週刊少年ジャンプ1980年46号

心のこり…の巻

GSX《ジーエスエックス》 1100S《エス》 KATANA《カタナ》

部長 娘さんを嫁いりさせてすっかりふけこんだようね
無理もないよ つい先日だからね
部長
ん！
さぞお力おとしでしょうが元気だしてください
いやあ すまんな 気を使わせてしまって… 別に娘のことで 思いにふけってたわけでもないんだ…
わしの気にしていることは両津のことだ
えっ 先輩？
今度は 両津をまとめてやれば生涯の心のこりはすべておわると考えていた
先輩ですか むずかしい問題ですね

でも 人すきずきで両ちゃんを魅力的だと思う人がいると思うわ
ピューン
ピュッ
ピューン
30すぎた男がオモチャに夢中になっている姿の どこが魅力的だと思うのかね?
ちょっとおまえたちこっちへきなさい
あいつの貯金額いくらかしってるか? 中川
さあ 3万くらいはためてあるんじゃないんですか…
千五百円だっ 千五百円! 小学生の貯金よりも少ないんだぞ
そうですね 結婚資金にしてはきついですね
江戸《えど》っ子気質で金はためないのが主義じゃないの うまれつきよ
そんなことだから 嫁さんもよりつかないんだ
そこで わしは両津を真人間にする方法を考えた
えっ 真人間に!!

名づけて両津改造計画
先輩を改造するんですか！
外見をではない！中身や考え方をかえていくんだ！
そんなことできるんですか！
その計画表をみせてやる
えーい ちくしょう これはむずかしい
なかなか高等な機械だぞくそ！
ALIEN
ピコ ピコ
ピュン ピュン
ピュン ピュン
おい両津ちょっとこいっ
あっ部長今すぐはい！
先日は娘さんを嫁にだされぶじ初七日もすみましておくやみ申しあげます
わけのわからんあいさつはあとにしてさっさとこい

両津 明日から 英語を 習いにいけ
えっ なんで また アメリカ語を 習わなきゃ ならないんです
警察官たるもの 英語くらいは たしなんだ方が いいのだ 教養もつく
別に つかなくても かまいません
そして ソロバン塾へも かようんだ 一級とるまで 必ず いけ
ソロバン なんて いいですよ 電卓が あるし……
礼儀作法や 料理も習うんだ 生活から 改善 していかんと だめだ!
どうして 今さら 習いごとを やるんですか!
明日からの おまえの スケジュール表だ 月謝は すべて 給料 から ひいとく
ギッシ!!
両津改造計画表
月 育児教室 英語・ソロバン
火 華道教室 ギター教室
水 油絵教室 着付教室
木 茶道教室 ピアノ教室
金 法律・漢文 料理・ソロバン
土 礼法 英語
日 あみもの教室 料理・習字
じょうだん じゃないよ なんで男が ピアノや料理 やらなきゃ いけないんだ!
一流は みな男だ 加山雄三《かやまゆうぞう》も ピアノがひける 梅宮辰夫《うめみやたつお》も料理は プロ並だ!

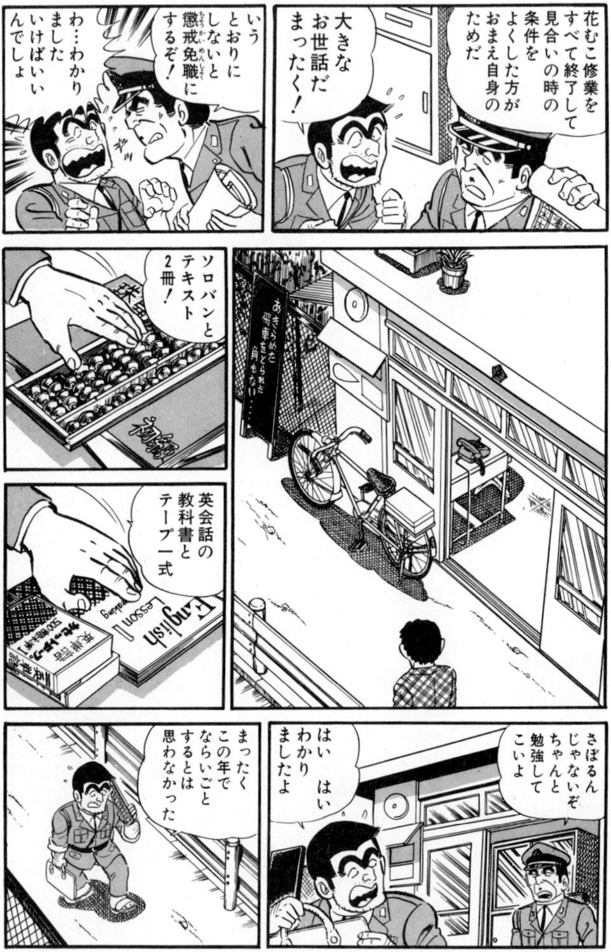

花むこ修業をすべて終了して見合いの時の条件をよくした方がおまえ自身のためだ
大きなお世話だまったく!
いうとおりにしないと懲戒免職《ちょうかいめんしょく》にするぞ!
わ…わかりましたいけばいいんでしょ
あきらめた 飛車をとられた 角もない
ソロバンとテキスト2冊!
英会話の教科書とテープ一式
English Lesson 1
さぼるんじゃないぞちゃんと勉強してこいよ
はい はい わかりましたよ
まったくこの年でならいごとするとは思わなかった

ここがソロバン塾だな……
電卓教室もあり、あなたも電卓一級生に
泉谷珠算塾
電話一本ですぐ生徒!
ガヤ
ガヤ
あのう今日からかようことになったんですけどね
連絡はもらってますよ
あと10分で始めますもう少しまっててください
そうかい
しかしこうしてみるとソロバンってのはなつかしいな
昔は よく使ったもんだ
あんたのお名前なんてえの♪
なあんちゃって…
おっ馬乗りかわしもいれてくれよ
いいよ

ぽん！ちっ負けだ
勝ったぼくらがのる方だ
おまえらつぶれたらひっぱたくからな
そりゃないよちぇっ
1番目
ガシャ
初級の人たち始めますよ
ちぇっせっかく始めたところなのに
さっき変な音がしたな
ガヤ
ガヤ
おや？きみのは玉が少ないんじゃないのか
そろばんの心
ローラースケートにしないで下さい
省エネでしてねこの方がみやすい！
あっいけね
ソロバンがこわれちまっている

次は 英語か けっこう こんでるんだなあ
ENGLISH SMOLL SCHOOL
KAMEARI
NOT PARK
I ♥ NY
グッド イブニング アイム ティーチャー
ニュッ
な なんだ! びっくりさせるなよ
塾内はすべて 英語でしゃべってください
それがしゃべれたらここへくるもんか
ノーノー その場合は アイ キャント スピーク イングリッシュ といいましょう
なに アイ キャンキャン スピーカー イングランド
これが 家です ハウス! はひふへほのハ あいうえおのウ さしすせそのス!
ふらわあ
しっぷ
はあうす
きゃん
あっぷる
かあ
キャ
キャ
ベェ
あなたは初級の特別コースから始めた方がいいですね
どこいっても初級からだな……
まわりは幼稚園児ばかりじゃないか こいつらと同格か……

ふわあ〜〜
ねむいな
夕べは
ハードな
1日だった
両津
おまえに
プレゼントが
ある
えっ
本当!
ドスッ
舞姫 森鷗外
人間失格 太宰治
戦争と平和 トルストイ
車輪の下 ヘッセ
ニッサン
R750 SP
NISSAN
なんすか
みんな
本じゃ
ないすかっ
そう
これを1週間で
よむんだ
あとで感想の
レポートを
だせよ!

字ばかりの本はきらいなんですよ 絵が ないと よめない 体質でして…
だめだ! 絶対 よむんだ 毎週 新しい本を えらんで おまえに よますからな
映画の キップもやる 来週 みに いってこい
わっ 映画なら すき! 怪獣物ですか!?
あまし みたく なさそうな 映画だな
わしのいうとおりにしていれば 一般社会人に 近くなれるぞ
いろいろな 知識と教養を 身につけた 両津に 生まれ かわるんだ! 真人間になっ
別に 生まれ かわらなくて いいのに!
年内に 本150冊 映画10本 ソロバン5級 英語中級 ここまで 予定している
考えた だけで 頭が いたく なってきた
消化器
ただし 睡眠学習法で 英単語を おぼえるんだ
ねてまで 勉強やる のかよ
そりゃ いかん ハード スケジュールが ひかえてる身だ 少し ねた方がいい
ねかせて もらえるだけ ありがたい

男のための料理教室
男のための料理教室
最近では男の方もお料理ができないとだめです
今日は初級のカレーライスをやります
まったく! せっかく非番なのにどうしてこんなとこにこなきゃならんのだ
まずはお野菜からきりますよ
あら ずいぶんあらっぽいわね
時間がねえんだよこっちは…
スパスパ
これから区役所の講習とお花とお茶とソロバン塾へいかないといけないんだ

タレントなみのスケジュールだ こっちはロードマネージャーがいないからな
全部ひとりでやらなきゃいけないんだ
グッ
グッ
よしこんなもんでいいだろ 形になってりゃいいんだ…
ボンカレーよりも早くできたぞ
ドロ
ロ
おわりました！じゃ また来週！さいなら
カロリー表
ビュ
ッ
次は区役所だいそがしいな！
シャー
飾 区 役 所
男のためのそうじ講習
葛飾区
あまり気の進まん講習だな
四角い部屋を丸く はく これは悪い掃除のしかたです
まず掃除機のもち方の基本体から…

45度にかまえ おす時に 力をいれ 軽くひく これがコツ
とくに部屋のスミは ゴミが たまりやすいので 注意しましょう
バカらしい 男が 掃除を 勉強するなんて 世も末だ なんか 自分が ダメに なっていく 気がする
そう リズムに あわせて 1 2 1 2
あっ いけね 本 まだ よんで なかったっけ
今日中に よまな きゃな
まるで 二宮金次郎《にのみやきんじろう》だな
すごい あの人は やる気十分
ふう やっと 全部 おわった! ずいぶん1日が 長く感じるよ
いて!
あっ ごめんな さい!
なんだ おまえも 塾帰りか
おじ さんも…

まだ 小学生 くらいなのに 医学書を よんでるのか
医者に なるんだよ ぼく!
あと 9年後に 大学受験が ひかえてるからね 今から やらないと 間にあわないいんだ………
世の中 おそろしい 時代になった もんだな
本当は 遊びたい 年ごろ なんだ! でも 医者に ならないと 親に カンドウ されるんだよ うちが 病院だ からね
まるで 親の ロボット じゃないか
ぼく 本当は 漫画家に なりたい んだ
そうか…
それじゃ 家で 家庭教師が まってる から
これから また 勉強かよ 大変だな
25点! また 赤点だ 来週 追試験 だぞ!
ちぇっ 問題が むずかしすぎるよ
おっと わしも 明日 漢字のテストが あるんだ
勉強 しとかんと
中学のカンジ

このレポートにしても なんだ "つかれた" これで 感想と いえるか！
だって 本当に よむの つかれたんですよ
おまえの感想じゃ ない！ 本の感想を かくんだ！
ガミ ガミ ガミ ガミ
まるで 教育ママ みたいだよ
両ちゃん このごろ 元気 なくなって きたわね
遊ぶヒマも まったく ないから なあ
ふう 英語が おわって 今度は 習字か！
サボっちゃ おうかな くそ！
コロ
カラン
おや 医者の タマゴじゃ ねえか
おい どうしたんだよ こんなところで 塾は いかないのか
あっ おじさん ちょっと つかれちゃってね
カラン

おまえも ハードな日びを おくっているからなァ
塾では友だちも できないし いつも ひとりで かようんだ
そうか…… わしで よかったら いっしょに かよって やるぞ!
本当 ありがとう!
安心したら また 頭が いたく なっちゃった
おい しっかり しろよ タマゴくん
あ 熱が あるぞ おい 大変だ!
すごい 熱だ!
よしお ちゃーん
バタッ

カゼですよ 過労で つかれがでた ようですね
家じゃ ひとことも つかれた なんて いわなかった のに……
ママ 今日 塾 休んじゃって ごめんね
いいのよ 勉強で しばりつけた わたしのほうが 悪かったわ！
あまり 無理な期待を かけるのは 本人にとって 重荷にしか なりませんよ
うむ ………
おや かんじんの 両津は どうした
明日 漢字のテスト だといって 勉強しに 帰りました
改造は やめた方が いいですよ
そうだ な……
あいつを 型に はめる ことは よくない ようだな

両津は
おそいな
ねぼう
してるの
かな?
部長!
おはよう
ございます
テスト
バッチリ
やって
ください
両津
すまなかった
もう 勉強
しなくて
いいんだ
先輩
もう 自由に
していいん
ですよ
夕べ
徹夜で
勉強したん
だぞ!
中学のカンジ
えっ
部長 たのむから
テストしてくれっ
今度は 60点を
とる自信がある
早くしないと
わすれるから
早く!
必勝テスト100点
おちつけ
わかった
60点やる!
その気力だけで
60点やるから
もう おわりに
しよう!
まったく
真人間を
つくるのは
むずかしい
ものだな…

★週刊少年ジャンプ1980年48号

今夜は無礼講!!の巻

亀有公園前派出所
きょうも元気だ
将棋がうまい！
今年の
慰安《あたみ》旅行は
熱海《あたみ》か！
いいな……
熱海《あたみ》1泊2
日時 11月
集合場所 本署
日程表
今回は
本田さんも
さそい
ましたよ
旅行は
大勢の
ほうが
おもしれえ
からな
星さんも
さそおうと
おもうんです
が 連絡先
わかりますか
あいつは いい
あいつが くると
ページ数が
ふえて
めんどうだ
今年は
なん人に
なったんだ
40人よ
わたしは
いかれ
ないけど
おとどしは
わしが
幹事で
めんどうだったが
今年は
目いっぱい
エンジョイ
できるぞ
楽しみ
ですね
ハデに
やろうぜ
ぶあーっ
とな！
はははは

金色《こんじき》夜叉《やしゃ》
熱海《あたみ》海岸《かいがん》の場

今夜は無礼講!!の巻
部長! マジだよ! 本気でけとばしてる!

50
スピード落とせ!
わははは 酒ありて この世は 天国 天下泰平《てんかたいへい》
けしきを ながめて のむ酒は 一段とうまい
トクトク
おい 幹事 酒が たりん うしろの ほうに もっと まわせ!
今年も 両さんの ところは もりあがって いるなあ
熱海に つく前に できあがっちまうよ

はいよ これで最後だってさ
ちぇっ けちくせえなあ しみったれめ!
少ない給料から旅行費を毎月 ひかれとるんだからな 元は とらんと損だぞ
まったくだ
先輩 うしろでほとんどたべ物 のみ物しめてます 前のほうにもまわしたほうがいいですよ
ちぇっ せっかく予備用にとっといたのに
それじゃ わしがサービスしてくるか
おう おまえらのんでるか! どんどんのめっ 楽しくやろうぜ
こんなにのこってたのかかくしていたなおまえ!
よう 運転手の青山《あおやま》ーっ 毎年 ごくろうだな
ブロロロ・・・
あまり根つめてると体に毒だぞ 酒でも のんで気分をなおせ
警察官がそんなことできますか

おまえ マジメすぎるぞ だから 毎年 運転手の 貧乏くじを ひくんだ
性格ですからね
そういう悪い性格はなおさんといかん!
わっぷ
うわっ
ぎゃっ
ぎゃーっ ぶつかるぞ 早く アクセルを ふめ!
アクセル!

ばかものっ ぶつかるのに アクセルを ふむやつが あるか!
すみません つい ことばに つられて……
まったく! 運転の模範と ならなければ いかん立場だと いうのに…
本田 事故を みこして ヘルメットを もってきた のか!
これが あると おちつくん です
バイクの ミニカーも もってきま した…… バスだと 不安で……
まるで 子ども みたいだな

ナンタラホテル
ナンタラホテル
ラホテル
キッ
やっと ついた 一番のり 山本山《やまもとやま》のり
いい ホテルじゃ ないか
ありゃ みたような 男が いるぞ
おそかったぜ……

なんだ星もきてたのか!
海がみたくてフラッときてしまったぜ
ピッ
なんできたんだ自転車か?
つまらんジョークだ本気にするやつがいたらどうする
みろマーキュリーボブキャットだこれでフラッとやってきたんだっ
2800CC《シーシー》191馬力ムーンルーフ付パワステ
さあ中にはいって
これこそ3ドアステーションワゴンの傑作だ!
ははは どうだおどろいたか!
駐車禁止
お客さん そこは駐車禁止だがね

ほう なかなか いい部屋じゃ ないか……
ありゃ両さんと いっしょの 部屋か…… ついてないな
うるせえ な
ゆかたに きがえると 旅にきたと いう気が するな
おい 本田 大浴場に いこうぜ
えっ ついた ばかり なのに…
先ブロの ほうが メシを おいしく くえるぞ
そう ですか
うおっ すいて いて 最高!

第一のコース両津くん日本代表
ダーッ
バシャッ
はやいはやい千葉のドルフィンとよばれたこの動き！
バシャ
バシャ
バシャ
ぎょっ
きゃあーっ
バシャ
やばいこっちは女のほうだ
ダッ
えっ!?
男はとなりだ
きゃっ
となりにフロなんてありませんよ……
なんだと！
消火器

はやく
フロをさがせ
はやくしろ
桂の馬
客4名
きゃっ
ゆかたまで
おいてくる
ことないのに
もう
課長!
ん?
裸で廊下を走りまわらないでくださいとホテルのほうから注意がきてます
なんだと!
はやくしないと宴会に間にあいませんよ
まってろ
あと2個
ボールが
のこってる
あいつだな…
まったく!
熱海の海にでも
しずめて
やりたい!

課長のあいさつでした
次は……
親方商事様
こりゃうまそうだ
これが楽しみできたんだからな…
それでは大原部長に乾杯の音頭を とっていただきます
パチ
パチ
パチ
パチ

じゃ せんえつ ながら…
両さん まだはやい
ん!?
あっ こりゃ どうも
続け ましょう どうぞ
今夜は 無礼講で 楽しく やり ましょう
では 今一度
乾杯!!
親方商事様
かん ぱーい
かん ぱーい
あっ どこへ いくんです
ちょっと な……
おい 幹事 芸者は まだか…
もう くるころ です

おこんばんわ
おじゃましまーす
ガラッ
なんだ!? あれが まさか芸者じゃあるまいな
今夜は芸者さんが少ないんですよ………
お客さんおひとつどうぞ
おふくろにすすめられてるようで気がひけるな
芸者さんも きてもりあがったところで宴会部長の両さんからなにか ひとつ
ワー
パチ
パチ
えっ わしがなにかやるのか?
いつから宴会部長になったんだよ?
パチ
パチ
しかたねえじゃあ簡単にすますか
まずはスルメのやけるとこ
ジリジリジリィ〜〜〜はい やきあがり!
わはははは!
パチ
パチ
パチ
いいぞ両さん!

次はトラのしき皮！
わははははは！
パチ
パチ
パチ
最後に川にうかぶ変死体
ゴロン
最高！
パチ
パチ
パチ
パチ
ふう おわった あれ？ 本田全然のんでないじゃないか
酒だめなんですよ
パチ
パチ
酒がのめんなんて生きる楽しみひとつ なくすようなものだのめよ！
本当にだめなんですよ！
いいからのめよ！ 酒のうまさをおしえてやる
うわっぷ
どうもおそまつでした
いいぞいいぞ
パチ
中川洗面所はどこだ？
えっ どうしたんですか？

本田がよっぱらって気分悪いそうだ
下のロビーで休ませたら………
こいつ骨ばってるわりには重いな…
売店
いらっしゃいおつかれさまでした
ドゥウ…
やっとついたな予定よりおくれたぞ
うおっオレのバイクだ!
ダッ
あっ
どけい!
バッ
わっ

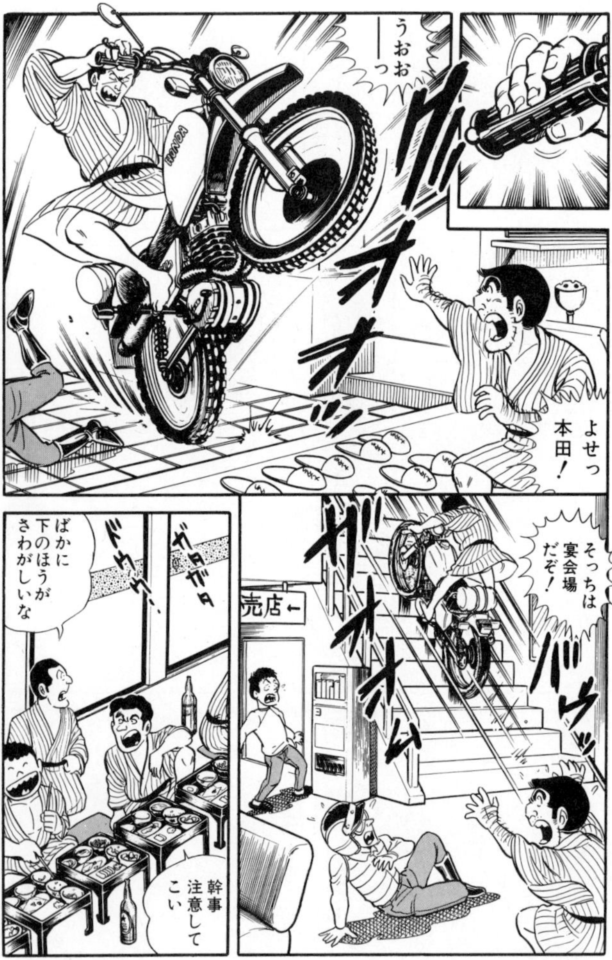
うおお――っ
よせっ本田！
そっちは宴会場だぞ！
売店←
ガタガタ
ばかに下のほうがさわがしいな
幹事注意してこい

ガラッ
おーい 静かに…
ぎゃあーーっ
バイクだーっ
うおおお 暴走族はどこだーーっ!!
だ… だれかとめろ!
うわっ

やばいぞ 本田課長もいるんだぞ!
うわーーっ
両津!
ちょっと酒のませたら ああなったんですよ
だめだ こりゃ ガソリンなくなるか 酔いがさめるの まつしかない
きゃあ
うおおーーっ
うわっ

こちら葛飾区亀有公園前派出所⑳(完)

★週刊少年ジャンプ1980年50号

解説エッセイ「9時から3時までが仕事時間でした」

とみさわ千夏（漫画家）

私は'77年の12月から'87年の11月までの丸々10年間、秋本先生の所でアシスタントをさせていただいた者です。入った当初は先輩が二人おり、仕事時間は朝の9時から夜中の3時までというものでした。朝9時起床と共に、新米の私は皆の朝食を買いに亀有駅北口のマクドナルドへ「山止《やまどめ》先生はチーズバーガーだな。金子先輩はフィレオフィッシュだな。」と、毎朝四人分の朝食を買いにいったものです（当時は朝マックはなかったのです）。

秋本先生は、当時「山止たつひこ」というペンネームでして、本名を紹介されていない私は「山止さん、山止さん」と先生を呼んでおりました。先輩方が「秋本さん」と呼んでいたりしてましたので、うすうす感づいてはいたんですが…。仕事内容は、先輩方が下書きをした背景にペンを入れ、先生が人物にペン入れした後、ベタ（黒の部分を塗りつぶす）と消しゴム（下描きの線を消す）とスクリーントーンを貼る事です。両さんのヒゲと腕の毛を描くのもアシスタントの仕事です。
「全国の読者が私の描いた両さんのヒゲを見てる!!」
感動的な仕事でありました。その内、先輩が一人減り二人減りで、いつの間にかペンネームも「山止たつひこ」改め「秋本治」と変わり、「秋本さん」と呼ぶ様になった頃には、バイクばかり描かされてた様な気がします。後輩も何人か入ったこの頃の一番楽しかった仕事は、資料用だという事でバイクのラジコンを作らされた事でしょうか…。結局3メートルも走らす事のなかったラジコンでしたが…。
'7?年の事ですが、ラジオを聴きながら仕事をしていた私たちに、「今夜の『鶴光のオールナイトニッポン』のゲストに宮崎美子さんが出る」というニュースが飛び込んで来ました。
「今の君はピカピカにひかってェ~」のテレビCMでデビューしたばかりの宮崎美子さんであります。秋本先生の目が〝キラッ〟と光りました。
秋本先生「ニッポン放送に行こう!!」
スタッフ「エエ~~~ッ!?」
そういうのが嫌いなH氏だけを残し、カメラを持った先生とスタッフ二名は、先生の愛車シルビアでニッポン放送へ…。

「これが出待ちか～」

ニッポン放送前はすでに30人位の若者がおりまして、私とI氏は将棋を指して待ち、先生はあっち行ったりこっち行ったりソワソワして待っておりましたが、宮崎美子さんはとうとう先生の目の前には現れませんでした。チョッとくやしい一日でした。

この頃になると、朝マックはやめ（H氏の提案「目ェ覚めてすぐは食えねえよ」）、9時から12時はハラがグウグウ鳴っていました。12時に昼食、6時に夕食と、時間はキッチリと決めてありました。その間の午後3時には、なんと休み時間を一時間もいれるという楽しい時間割りでありました。この3時休み…当初は近くの公園で、一人ずつタイムアタックの自転車レースや、先生のホンダモンキー（50CC）の試乗会（I氏見事にこける）をしては、近所のおじいさんに「子供達もいるんだからやめなさい」「はい…」とたしなめられるシーンもあり、新しいオモチャを買って来ては試してみたり…という時間に当てられていましたが、スタッフの間ではトランプや将棋が流行ったり、仕事場を先生の実家に変えた後などは、一階と二階に分かれて銀玉鉄砲の撃ち合いが流行ったりと、一番の楽しみをこの3時休みにかける様になったのであります。銀玉鉄砲での撃ち合いは、何故か昼食時外に出るのに皆一挺ずつ鉄砲を持って出て、亀有の路地裏なんかでパンパンやってた怪しい集団でありました（飯時には、男四〜五人皆将棋を指してるしね）。銀玉鉄砲もモデルガンマニアのU氏がスタッフに加わってから、本格的なモデルガンによる撃ち合いへと進化し（個人的には銀玉の方が好きなのですが…）、

〝パンッ〟

「当たったよ、今」

「いや、よけたよ」

神社で撃ち合いをやってた時は、自転車に乗ったおまわりさんがやって来て、先生一同走って逃げたという、デンジャラスなシーンもありましたね。

このモデルガンの撃ち合いは、当時、『オールナイトニッポン』をやっていた所ジョージさんもやっていると聞き、どういう経緯か「所さんの本番中を襲撃せよ」という話があり、「行くっきゃないでしょう!!」という事に。本番中、ニッポン放送に潜入し、ジッと待つ事20〜30分。ディレクターから、

「今です、身をかがめて、こっちですこっちです」

ガラスの向こうの所さん「いやもうスッゴイですね〜」

ディレクター「今です！」

一同「ワ〜〜〜〜〜〜〜〜〜〜〜ッ」
〝パンパンパンタカタカタカパンパン〟
所さん「‼○△×∞⁉ 何だ〜〜〜‼ ビックリした〜〜〜‼ エ〜〜〜ッ⁉」
その後、スタッフ一同ゲストとして数十分居座るという華やかな想い出もあります。私の弟はこのラジオ放送を青森の片田舎で聴いていたそうです。「おもしれがっだ〜‼」とは弟の弁。
その数週間後、夜の9時頃でしょうか。仕事中に誰かお客さんが来たらしく、一人が一階に降りた所、
「うわっ」〝バタン〟（倒れる音？）
一同「？」
何かな？と階段を降りようとした私の目に飛び込んできたのは‼ 階段の下でウージー（マシンガン）を片手に〝ニヤッ〟と笑った所ジョージさんでありました。
〝パパパパパ〟「ワ〜〜〜〜ッ」
逃げる間もなく撃たれる私。先生一同、モデルガンを用意する間もなく全員、所さんに報復されてしまいました。その後、所さんとは何の音信もなくなったのは淋しい事ですが、ビックリした事件でした。

遊んでばかりだったのかと思われたりもしますが、作画の仕事中には様々な実験もしたものです。『本ロリカ登場の巻』は二色カラーだったのですが、「鉛筆の線はどこまで印刷に出るのか？」と、トビラページの見開きのバックのスピード線は(HB、いやBだったかな)鉛筆で引いたものです。雑誌の掲載時には割といい感じに出て、
秋本先生「いい感じじゃない」
私「エヘッ」
単行本22巻の『スペースポリスの巻』では、星を白く入れるのが面倒だったので、
私「アジシオは印刷に出ますかね？」
秋本先生「やってみよう!!」
と、アジシオをテープに貼り付けて宇宙空間へ〝ペタッ〟。「星だー」と実験した事もありますが、あれから何年も経った今読み返してみても、どれがアジシオかは区別ができませんね。でも、私の貼ったアジシオは、今でもこうして星として輝いているのは、チョッと嬉しい限りであります。

掲載作品は集英社より刊行されたジャンプ・コミックス『こちら葛飾区亀有公園前派出所』第21巻（1982年4月）第22巻（同7月）第23巻（同9月）の中から、著者自らが精選して収録したものです。

7月新刊　大好評発売中

夢《ゆめ》幻《まぼろし》の如《ごと》く 7〈全8巻〉
本宮ひろ志

本能寺で死んだはずの織田《おだ》信長《のぶなが》。彼は奇跡の生還を遂げ、秀吉《ひでよし》の前に現れた！天下統一の夢を超えた信長の新たなる野望とは…!?

とっても！ラッキーマン 7 8〈全8巻〉
ガモウひろし

①②ラッキークッキーあとがきー　ガモウひろし

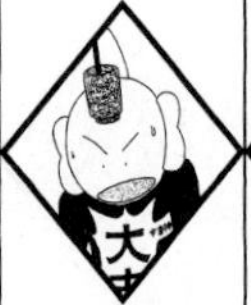

日本一ツイてない中学生・追《つい》手《て》内《ない》洋《よう》一《いち》が、幸運の星から来たラッキーマンと合体すればツイてるヒーローに大変身！宇宙の悪に挑む！

こち亀文庫 17
秋本 治

各巻　巻末企画「当世流行《はやりもの》目録」「伊達男・看板娘評判記」

前人未到のコミックス160巻を突破した長人気作『こち亀』が再び文庫で登場！笑いと興奮、そしてなつかしネタ満載の101巻からを収録！

浅田弘幸作品集2 眠兎《ミント》〈全2巻〉
浅田弘幸

あとがき　浅田弘幸

暗い過去を持つ二人の少年、空木《うつぎ》眠兎《ミント》と小泉《こいずみ》時雨《しぐれ》が、お互いを意識し、ぶつかり合う！　浅田弘幸が描くコミック叙情詩、待望の文庫化!!

BADだねヨシオくん！ 2〈全3巻〉
浅田弘幸

新たなライバルあらわる！そしてヨシオの父の謎に迫るバトルGP《グランプリ》第2戦スタート!!　読切『しやわせ家族戦士プリチーバニー』も収録。

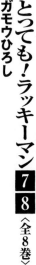

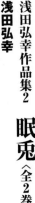

集英社文庫〈コミック版〉

ラブホリック 5 〈全5巻〉

宮川匡代

③同時収録「love must go on」「in the showcase」
④同時収録「Somebody loves you」 ⑤同時収録「love must go on」

シゲルは食品メーカーで働くOL。口の悪い上司・朝比《あさひ》奈《な》課長には怒られてばかり。でも最近、男として意識し始め!? 新世紀オフィスラブ!

花になれっ! 9 〈全9巻〉

宮城理子

①解説エッセイまんが⑨あとがきエッセイまんが　宮城理子

地味な女子高生・ももは、ひょんな事から超イケメンな蘭丸《らんまる》の家で住み込みメイドをする事に。その上、蘭丸の手でキレイに変身して!?

ラブ♥モンスター 1 〈全7巻〉

宮城理子

①解説エッセイまんが　宮城理子

SM学園《セントモンスター》に入学したヒヨを待っていたのは、イケメン生徒会長・黒羽《くろう》をはじめ、個性豊かな妖怪たちで…!? 妖怪ラブ♥ファンタジー。

谷川史子初恋読みきり選 ごきげんな日々

谷川史子

誰もが経験したことのある初めての恋…。あの日に感じた、切なくて甘酸っぱい気持ちを鮮やかに描いた、珠玉の初恋読みきり選。

谷川史子片思い作品集 外はいい天気だよ

谷川史子

あとがき　谷川史子

付き合っていても距離を感じる恋人同士…、一方通行な想いに悩む彼女など…。様々な片思いのかたちを繊細に綴った、片思い作品集。

集英社文庫〈コミック版〉既刊リスト

●秋本　治
自選こち亀コレクション
こちら葛飾区亀有公園前派出所〈全26巻〉
こちら葛飾区亀有公園前派出所ミニ〈全4巻〉
こちら葛飾区亀有公園前派出所・大入袋〈全10巻〉
秋本治傑作集〈上・中・下〉
こち亀文庫①〜⑰

●浅田弘幸
浅田弘幸作品集1　蓮華
浅田弘幸作品集2　眠兎
BADだねヨシオくん！①②

●麻宮騎亜
快傑蒸気探偵団〈全8巻〉

●浅美裕子
WILD HALF〈全10巻〉

●荒木飛呂彦
魔少年ビーティー
バオー来訪者
ジョジョの奇妙な冒険①〜㊿
オインゴとボインゴ兄弟大冒険

●作・三条　陸
画・稲田浩司
監修・堀井雄二
ドラゴンクエスト ダイの大冒険〈全22巻〉

●今泉伸二
空のキャンバス〈全5巻〉

●うすた京介
武士沢レシーブ

●梅澤春人
BØY〈全20巻〉

●江川達也
まじかる☆タルるートくん〈全14巻〉

●えんどコイチ
死神くん〈全8巻〉
ついでにとんちんかん〈全6巻〉

●作・真倉　翔
画・岡野　剛
地獄先生ぬ〜べ〜〈全20巻〉

●荻野　真
孔雀王〈全11巻〉
孔雀王—退魔聖伝—〈全7巻〉
夜叉鴉〈全6巻〉

●奥　浩哉
変〈全9巻〉

●作・写楽麿
画・小畑　健
人形草紙あやつり左近〈全3巻〉

●作・城アラキ
画・甲斐谷忍
監修・堀　賢一
ソムリエ〈全6巻〉

●かずはじめ
MIND ASSASSIN〈全3巻〉
明稜帝梧桐勢十郎〈全6巻〉
かずはじめ作品集1　遊天使
かずはじめ作品集2　Juto
かずはじめ作品集3　0-Game

●桂　正和
ウイングマン〈全7巻〉
超機動員ヴァンダー
プレゼント・フロムLEMON
電影少女〈全9巻〉

●作・鏡　丈二
画・金井たつお
ホールインワン〈全8巻〉

●ガモウひろし
とっても！ラッキーマン〈全8巻〉

●きたがわ翔
19〈NINETEEN〉〈全7巻〉
ホットマン〈全10巻〉
B.B.フィッシュ〈全9巻〉

●桐山光侍
NINKU—忍空—〈全6巻〉

●車田正美
風魔の小次郎〈全6巻〉
男坂〈上・下〉
聖闘士星矢〈全15巻〉
雷鳴のZAJI

●作・寺島　優
画・小谷憲一
あかね色の風

●許斐　剛
テニスボーイ〈全9巻〉

●佐藤　正
COOL〈全2巻〉
燃える！お兄さん〈全12巻〉

●柴田亜美
自由人HERO〈全8巻〉

●作・城アラキ
画・志水三喜郎
監修・堀　賢一
新ソムリエ 瞬のワイン〈全6巻〉

●新沢基栄
3年奇面組〈全4巻〉
ハイスクール！奇面組〈全13巻〉

●鈴木　央
ライジングインパクト〈全10巻〉

●高橋和希
遊☆戯☆王〈全22巻〉

●高橋陽一
キャプテン翼〈全21巻〉
キャプテン翼—ワールドユース編—〈全12巻〉
キャプテン翼 ROAD TO 2002〈全10巻〉

●高橋よしひろ
エース！〈全6巻〉
銀牙—流れ星 銀—〈全10巻〉
白い戦士ヤマト〈全14巻〉

●武井宏之
仏ゾーン〈全2巻〉

●作・夢枕 獏
画・谷口ジロー
神々の山嶺〈全5巻〉
●ちばあきお
キャプテン〈全15巻〉
プレイボール〈全11巻〉
●作・七三太朗
画・ちばあきお
ふしぎトーボくん〈全4巻〉
●次原隆二
よろしくメカドック〈全7巻〉
●つの丸
みどりのマキバオー〈全10巻〉
●手塚治虫
名作集①ゴッドファーザーの息子
名作集②雨ふり小僧
名作集③百物語
名作集④マンションOBA
名作集⑤はるかなる星
名作集⑥白縫
名作集⑦⑧フライング・ベン〈全2巻〉
名作集⑨⑩ナンバー7〈全2巻〉
名作集⑪新選組
名作集⑫⑬⑭ビッグX〈全3巻〉
名作集⑮⑯アポロの歌〈全2巻〉
名作集⑰グランドール
名作集⑱光線銃ジャック
名作集⑲緑の猫
名作集⑳くろい宇宙線
名作集㉑どついたれ
●冨樫義博
てんで性悪キューピッド〈全2巻〉
●徳弘正也
シェイプアップ乱〈全8巻〉
●鳥山 明
Dr.スランプ〈全9巻〉
鳥山明 満漢全席①②
●作・武論尊
画・原 哲夫
北斗の拳〈全15巻〉
●樋口大輔
ホイッスル!〈全15巻〉
樋口大輔作品集
BREAK FREE＋《プラス》
●作・牛次郎
画・ビッグ錠
包丁人味平〈全12巻〉
●ビッグ錠
一本包丁満太郎セレクション〈全8巻〉
●平松伸二
ブラック・エンジェルズ〈全12巻〉
●作・武論尊
画・平松伸二
ドーベルマン刑事〈全18巻〉
●藤崎 竜
藤崎 竜作品集1
サイコプラス
藤崎 竜作品集2
サクラテツ対話篇
藤崎 竜作品集3
天球儀
ワークワーク〈全3巻〉
●星野之宣
妖女伝説〈全2巻〉
MIDWAY〈歴史編〉〈宇宙編〉
●巻来功士
ゴッドサイダー〈全6巻〉
●まつもと泉
きまぐれオレンジ★ロード〈全10巻〉
せさみ★すとりーと〈全2巻〉
●光原 伸
アウターゾーン〈全10巻〉
●宮下あきら
魁!!男塾〈全20巻〉
激!!極虎一家〈全7巻〉
●村上たかし
ナマケモノが見てた〈全5巻〉
●本宮ひろ志
男一匹ガキ大将〈全7巻〉
硬派銀次郎〈全8巻〉
天地を喰らう〈全4巻〉
俺の空〈全11巻〉
赤龍王〈全5巻〉
さわやか万太郎〈全6巻〉
猛き黄金の国 岩崎弥太郎〈全3巻〉
猛き黄金の国 斎藤道三〈全4巻〉
サラリーマン金太郎〈全20巻〉
●森下裕美
夢幻の如く①〜⑦
少年アシベ〈全4巻〉
●作・伊藤智義(①④のみ)
画・森田信吾
栄光なき天才たち〈全4巻〉
●森田まさのり
ろくでなしBLUES〈全25巻〉
ROOKIES〈全14巻〉
●諸星大二郎
暗黒神話
孔子暗黒伝
自選短編集
汝、神になれ鬼になれ
自選短編集 彼方より
妖怪ハンター〈地の巻〉〈天の巻〉〈水の巻〉
●八木教広
エンジェル伝説〈全10巻〉
●矢吹健太朗
BLACK CAT〈全12巻〉
●やまさき拓味
邪馬台幻想記
自選作品集 優駿たちの蹄跡〈全4巻〉
●作・大鐘稔彦
画・やまだ哲太
外科医・当麻鉄彦 メスよ輝け!!〈全8巻〉
●弓月 光
ボクの初体験〈全2巻〉
エリート狂走曲〈全4巻〉
ボクの婚約者〈全5巻〉
甘い生活①〜⑫
みんなあげちゃう♥〈全13巻〉
●ゆでたまご
キン肉マン〈全18巻〉
闘将!!拉麺男〈全8巻〉
●吉沢やすみ
ど根性ガエル①②
●吉田ひろゆき
Y氏の隣人—傑作100選—〈全8巻〉

コミック文庫HP
http://comic-bunko.shueisha.co.jp/

集英社文庫(コミック版)

こちら葛飾区亀有公園前派出所《かつしかくかめありこうえんまえはしゅつじょ》 20

1998年8月16日　第1刷
2009年7月31日　第4刷

定価はカバーに表示してあります。

著　者　秋《あき》本《もと》　治《おさむ》

発行者　太田富雄

発行所　株式会社　集英社
東京都千代田区一ツ橋2－5－10
〒101-8050
電話　03（3230）6251（編集部）
03（3230）6393（販売部）
03（3230）6080（読者係）

印　刷　図書印刷株式会社

Printed in Japan

ISBN4-08-617120-1 C0179